Littérature d'Amérique

L'Anniversaire

NAÏM KATTAN

L'Anniversaire

ÉDITIONS QUÉBEC AMÉRIQUE

329, rue de la Commune O., 3ᵉ étage, Montréal (Québec) H2Y 2E1 (514) 499-3000

Données de catalogage avant publication (Canada)

Kattan, Naïm, 1928-

    L'Anniversaire
    (Collection Littérature d'Amérique)
    ISBN 2-7644-0048-9
    I. Titre. II. Collection.

PS8571.A872A86 2000   C843'.54   C00-940092-3
PS9571.A872A86 2000
PQ3919.2.K37A86 2000

Les Éditions Québec Amérique bénéficient du programme de subvention globale du Conseil des Arts du Canada. Elles tiennent également à remercier la SODEC pour son appui financier.

Le Conseil des Arts | The Canada Council
du Canada | for the Arts

SODEC
Québec

Nous reconnaissons l'aide financière du gouvernement du Canada par l'entremise du Programme d'aide au développement de l'industrie de l'édition (PADIÉ) pour nos activités d'édition.

Dépôt légal : 1er trimestre 2000
Bibliothèque nationale du Québec
Bibliothèque nationale du Canada

Illustration de la page couverture : Françoise Sullivan
Vestiges (n° 3) Héraclès – Artagnès, 1992
Acrylique et collage sur toile
Collection de l'artiste

Mise en pages : PAGEXPRESS

Cher Maurice,

Nous nous sommes beaucoup vus ces dernières semaines et pourtant j'ai l'impression que nous ne nous sommes pas parlé et j'en suis arrivé à me demander si nous nous connaissons vraiment. Puis, je me reprends et me dis, du même souffle : qui d'autre pouvait, mieux que toi, parler de moi et de mes travaux ? Au cours des derniers mois, tu t'es dépensé sans compter, n'épargnant ni effort ni occasion pour préparer cette soirée de célébration. Mon soixante-dixième anniversaire ! Je voudrais te dire qu'hier, en rentrant, et me retrouvant seul dans mon bureau, j'ai repoussé, telle une velléité, le désir d'aller au lit. Je voulais revivre, en fait, vivre, chaque instant de cette soirée.

Que de témoignages poignants, que de souvenirs émouvants, que de révélations, oui, je dis bien révélations sur ma propre vie ; des dimensions, des événements que j'ignorais. Je m'en veux d'être passé, sans m'en rendre compte, à côté de tant d'amitiés, d'affectueux élans. Il faut toutefois attribuer à une assemblée de généreux amis et collègues, les exagérations, les sentiments inventés, pire, les mensonges fussent-ils aimables. Ne pense surtout pas que je manque de gratitude et de simplicité. Peut-être ne s'agit-il que d'une déformation professionnelle. Les méthodes de recherche finissent par se transformer en habitudes et ma formation d'historien m'oblige à revenir sur les faits, à redouter les affirmations hâtives, à me méfier des conclusions favorables. Aujourd'hui, le besoin que j'éprouve de me connaître est pire qu'une futilité : c'est une menace.

Tout au long de ma vie – j'ose à peine dire professionnelle, car, en fait, dans ma vie cette dimension était l'essentiel –, tout au long des années, des nuits et des jours passés à étudier les archives, à déchiffrer les textes, j'ai été obligé de m'absenter de moi-même, de me soustraire à tout sentiment afin de ne pas céder au piège de choisir un fait qui trahirait un préjugé, de citer un texte parce qu'il confirmerait une hypothèse. Aussi, lorsque je passe toute une soirée à écouter des hommes et des femmes, qui viennent, à tour de rôle, décrire mon caractère en ne faisant mention que de mes qualités, je me sens bien obligé de me regarder en face dans le miroir si souvent déformant, fut-ce involontairement.

J'ai trop tardé, Maurice, à te remercier, à te réitérer ma profonde gratitude. Au cours des années, nous nous sommes souvent croisés dans les couloirs de l'université et ailleurs. J'ai été bouleversé, ces dernières semaines, d'apprendre toute l'estime que tu avais pour mes travaux. Je n'ose pas songer que cette admiration – pour emprunter ton propre terme – s'adressait aussi à ma personne. Rassure-toi. Je ne veux pas tomber dans le traquenard de la fausse modestie. Il faudrait, toutefois, que tu saches que je doute de tous les mérites que tu m'attribues, mais non de ton amitié, de ta sincérité envers lesquelles je ressens une profonde gratitude.

Loin de moi la prétention de rectifier ton jugement. Tu pourrais attribuer cette attitude à ce que tu qualifies de discrétion, le collègue Hamel a même parlé de timidité. Je me pose comme l'historien de ma propre démarche en souhaitant restituer certains faits, non pas que je les aie cachés, disons que, jusqu'à présent, il ne m'a pas semblé utile d'en faire état. Ainsi, ma naissance. Dans ton discours, tu es passé rapidement là-dessus, comme si des secrets inavouables entouraient mon origine, à moins que, dans ton esprit, cela ne présentât qu'une importance secondaire. J'admets que je ne m'étais jamais étendu sur des détails qui me semblaient trop compliqués pour les expliquer en une phrase, et j'ai toujours cru, peut-être à tort, que cela relevait du domaine privé et ne concernait personne d'autre que moi-même. Depuis hier, j'ai beaucoup réfléchi. J'ai eu tort de ne pas faire état, sans réticence et sans les étaler, des péripéties de mon existence. C'est peut-être un peu tard, mais il serait urgent pour moi d'en faire la chronologie, ne fut-ce que pour comprendre le déroulement des événements et prendre conscience des axes qui ont gouverné mes choix essentiels.

En parlant de ma naissance, tu as utilisé le terme « mouvementée » et cela en a fait sourire plusieurs. Quant à moi, cela m'a fait d'abord sursauter mais, en y repensant, je trouve ton qualificatif juste. Né à Alep, mon père appartenait à la communauté juive de cette ville, l'une des plus vieilles dans le judaïsme, et ma mère, turque, était descendante des rescapés de l'Inquisition espagnole. Elle s'était toujours targuée de son ascendance occidentale qui, à ses yeux, la rendait plus évoluée que mon père. Celui-ci, au lieu de s'en offusquer ou de s'en plaindre, en faisait un titre de fierté. Plus tard, il ne manquait pas l'occasion d'en tirer profit. « Ma femme, disait-il, qui appartient à une très vieille famille européenne », en indiquant, selon les circonstances, l'Espagne ou la Turquie comme son lieu d'origine.

Sur mes pièces d'identité, Alep est signalé comme lieu de naissance. On me demande souvent : y êtes-vous retourné ? Je réponds par la négative sans avouer que, nonobstant les circonstances politiques hostiles, je n'en ai jamais éprouvé le besoin ou le désir. Tu as dit que j'étais d'origine syrienne et tu as techniquement raison. Mais « Syrie », cela sonne toujours étrangement à mes oreilles. Je devais avoir sept ou huit ans quand mon père décida de nous transporter au Brésil. J'ai passé une partie de mon enfance et de mon adolescence dans cette impossible mégapole : Sao Paulo, où il m'est arrivé plusieurs fois de retourner. Nous y avons passé quelques années dans le cercle fermé des juifs alepins : des millionnaires et des besogneux, des victorieux et des perdants. Mon père faisait partie de ces derniers et il était insupportable à mes parents, et plus particulièrement à ma mère, de vivre à l'ombre de cousins fortunés. Ils étaient bien nombreux ces cousins et la définition de leurs liens de famille avec mes parents était loin d'être précise. Ce fut grâce à l'un d'eux que nous avons plié bagage pour atterrir à Brooklyn.

Pour moi, ce furent des années pleines. Je ne dis pas heureuses car mon père a dû se battre pour se maintenir en selle. Il avait ouvert un petit commerce de bas et de chaussettes sur Atlantic Avenue. À l'époque, ce quartier syrien était aussi juif qu'arabe. Mon père n'avait plus à se mesurer, comme à Sao Paulo, à des cousins aux résidences luxueuses avec les dizaines de domestiques et les fêtes fabuleuses du Club juif. Ses cousins de Brooklyn se trouvaient tous dans le même bateau, de sorte qu'il arrivait souvent à ma mère de les traiter avec condescendance sinon avec mépris.

À dix-sept ans, on m'envoya au collège, en pension, d'abord à Brandeis puis à Yale. J'ai connu Boston avant de longer librement les rues de New York. Brooklyn était notre château fort et notre prison. Mon père travaillait de longues heures. Puis, à partir du moment où j'avais assez grandi et n'avais plus besoin de gardienne, ma mère l'y rejoignit. Simple caissière d'abord, elle ne tarda pas à prendre les affaires en main.

Elle avait le don d'attirer les clientes et surtout de les retenir. Un mélange de charme oriental et d'efficacité américaine. Grâce à elle, le magasin a prospéré et ainsi, j'ai pu poursuivre, sans souci d'argent, mes études universitaires. Il faut dire que j'ai aussi obtenu plusieurs bourses.

Unis dans leur amour pour leur fils unique, mes parents ne se disputaient que pour des vétilles, d'ailleurs vite oubliées dans les embrassades. Malheureusement, je fus aussi l'unique sujet de constantes et véritables querelles. Ma mère voyait en moi le futur médecin, le chef de laboratoire, le directeur d'hôpital et le prix Nobel tout à la fois. Pour mon père, je ne pouvais être que le grand juriste attendu pour la refonte de la constitution américaine et l'établissement d'un nouvel ordre mondial. Son nouveau pays avait besoin de moi et Yale était le haut lieu de formation des hommes de loi. J'écoutais dans le mutisme les projets homériques de mes parents. Vaincre le cancer ou mener les États-Unis à la tête de tous les pays du monde, sur la voie de la justice. Ma mère se réclamait du Rambam et mon père, moins traditionaliste – nous étions après tout des Américains –, de Brandeis et de Frankfurter. En fait, il songeait à Moïse sans oser prononcer son nom.

Par prudence, j'ai profité de la première occasion pour les laisser seuls avec leur interminable débat. J'avais besoin de partir, de respirer avec mes propres poumons. En dépit de leur infini amour pour moi, ils n'eurent jamais la velléité de me demander mon avis. Ai-je besoin d'ajouter que j'aimais mes parents même quand je ne les supportais pas ? Séparés, nous étions proches et j'ai appris, grâce à la distance, à les aimer tels qu'ils étaient. Mais j'anticipe.

Un de mes amis de Yale avait été à Middlebury dans le Vermont alors que je terminais mes études collégiales à Brandeis. Il suivait un cours de sciences politiques et le professeur emmena ses étudiants à Montréal afin d'observer une autre forme de gouvernement que celui des États-Unis. Au cours de ce voyage, mon ami fit la connaissance d'une jeune fille de Québec. Ils se donnèrent rendez-vous à Stowe à la saison du ski et il passa, par la suite, en été, un mois dans les Laurentides. Son amour pour le Canada se confondait avec celui qu'il vouait à Gisèle qui devait, d'ailleurs, devenir sa femme. Il en parlait sans arrêt, éveillant involontairement ma curiosité. Je l'ai accompagné plusieurs fois à Montréal et c'est là que j'ai cru découvrir le moyen de réconcilier mes parents. Ni médecine ni droit. L'histoire. Grande déception. Que feras-tu après? Enseigner! Écrire! Ils finirent par s'adapter à la nouvelle situation, proclamant devant qui voulait les écouter que leur fils allait devenir professeur. Installé à Montréal, j'allais leur rendre visite pendant les vacances et, de temps en temps, pendant les fins de semaine. Les retrouvailles étaient des fêtes et je m'y adonnais d'autant plus librement que les études et d'autres rencontres m'obligeaient à les espacer.

J'ai dit l'histoire. Laquelle? Pour mon père, le plus grand livre d'histoire n'était autre que la Bible et ma mère, qui était d'accord, souhaitait curieusement que je sois celui qui révélerait celle de mon nouveau pays : les États-Unis.

Sans attache avec le Canada, n'ayant, par conséquent, aucune dette à payer, ni de gratitude à exprimer, je pouvais me plonger, avec le détachement nécessaire, dans une histoire qui, au surplus, me semblait peu et mal connue. Après une maîtrise sur l'Empire ottoman, j'ai décidé de faire mon doctorat sur le Canada français à Rochester avec mon maître et ami Mason Wade. Tu connais le reste et tu l'as magnifiquement évoqué en dépit de ton parti pris d'éloges et, si j'ose dire, d'admiration dont je ne me plains pas, même si je ne crois pas les mériter.

Je n'ai jamais regretté mon choix, sauf peut-être à la mort de ma mère, emportée par le cancer il y a une vingtaine d'années. Je m'étais alors demandé si elle n'avait pas eu le pressentiment de sa fin en voulant me destiner à la médecine afin de débarrasser l'humanité du fléau dont elle fut victime. Cependant, quelques années plus tard, en confiant mon père, atteint de la maladie d'Alzheimer, à une institution, je m'étais réconcilié avec mon choix en pensant que l'histoire était une manière de lui restituer la mémoire.

Encore un mot avant de terminer. Tu as dit que ma vie est une réussite. C'est généreux de ta part même si je n'avais jamais pensé en ces termes. En fait, je n'ai jamais compris ce que voulait dire ce mot. Sans doute, secrètement, j'espère qu'un jeune chercheur – et à mon âge tous les chercheurs paraissent jeunes – poursuivra mes travaux. Dans ce domaine, les réussites, y compris celles qu'on m'attribue, ne sont que des passages, autrement dit, elles sont, comme la vie elle-même, éphémères. On a trop tendance à faire de la réussite une idole, et toute idole est une figure de la mort. Je ne voudrais surtout pas te donner l'impression que mes propos soient dictés par l'amertume de l'âge.

Je te suis reconnaissant d'avoir passé rapidement sur ma vie personnelle, familiale, car tu aurais été obligé alors de faire appel à toutes les ressources de ton imagination pour parler de réussite. Si j'étais plus jeune, j'aurais peut-être eu recours à un vocabulaire religieux. Je me serais posé la question : ai-je suffisamment mis au service des autres les talents dont Dieu m'a fait don. C'est curieux, car contrairement à ce qui arrive aux personnes qui avancent en âge, je deviens de moins en moins religieux et la question que je me pose, je la formule différemment. Ai-je vécu pleinement, totalement chacun des jours, chacune des heures de mon existence ? Ma fille, qui n'a pas voulu s'afficher et que tu as peut-être aperçue dans l'assistance, m'a un jour rapporté le mot d'un écrivain : « La vie d'un homme se mesure par le bonheur qu'il a pu donner aux autres. » Quant à moi, j'en suis arrivé à une mesure plus humble, moins ambitieuse. Peut-être y découvrirai-je le sens de la réussite. Combien de fois, au cours de mon existence, ai-je pu éviter de faire du mal autour de moi ?

Je ne pêche pas par modestie, crois-moi. La vie ne m'a pas appris le bonheur. Elle m'a indiqué, tout au plus, le chemin à suivre pour éviter à moi-même et aux autres la souffrance. Oui, sur ce plan probablement, ma vie n'aura pas été un échec. Les plaies mettent longtemps à se cicatriser même quand, aux yeux des autres, elle deviennent invisibles. Là, c'est toute une autre dimension de ma vie que j'aborde. Peut-être vaudrait-il mieux la garder cachée et, de toutes manières, je t'en fais grâce.

L'idée de cette célébration te revient, Maurice. Je ne crois pas t'avoir assez exprimé ma gratitude. Je suis extrêmement touché, ému par ton amitié. On trouve très difficilement les mots pour dire ce sentiment, mais un acte, même s'il apparaît plus facile, est au contraire bien plus éloquent pour l'exprimer, et le tien est on ne peut plus tangible. Encore une fois, je t'en remercie.

De tout cœur,
René

Je relis ma lettre. Qu'aurais-je pu camoufler d'autre ? Tout est-il aussi faux de ce qu'on raconte de son enfance aux autres, de ce qu'on dit de ses

*parents? Comme les autres, Maurice saura où je
suis né, les noms, les occupations de mes parents.
Puis, voici ma ville natale. Que puis-je en faire
remonter à la surface? Oui, les rues étroites,
encombrées, répandant le parfum des bananes et
la puanteur des poissons, et, au tournant d'une
ruelle, l'urine encore humide. La maison, avec
ses longs couloirs, le toit, le soleil de l'hiver et le
jardin. Que de bribes qui, au cours des années, se
dissipaient dans un rêve contenu auquel je n'ai
cessé de résister.*

*Mon père n'évoquait cette ville que pour rap-
peler une richesse perdue et une noblesse conser-
vée, ramenant ainsi ma mère à l'origine. En
avait-elle honte ou était-elle tout simplement
indifférente, persistant dans sa marche forcenée
vers un avenir dont les promesses ne cessaient de
s'éloigner? Elle vivait les lendemains où nous
serions fortunés, respectés, et où moi, le fils
unique, couronnerais toutes ses attentes. Sao
Paulo remontait à la surface de ma mémoire avec
ses scènes de misère. Avaient-elles été vraiment
vécues? Je ne cherchais pas à le savoir, et la vision
d'un paysage brûlant se profilait tel un décor quotidien qui me hantait, me poursuivait, élevant un
barrage à toute tentation d'indifférence.*

*Mon père était à la traîne de toute une vaste
famille comblée de réussite et d'argent. Il était
constamment à la course, ne ralentissant jamais
le pas, haletant, exténué, avec le regard triste de
celui qui restait en chemin, ignoré par la chance,
et qui ne se sentait pas en droit de se plaindre. Il
ne lui manquait que de capter le rêve que sa
femme s'employait à repeupler chaque jour d'une
nouvelle image.*

*Oh oui! De l'avis de tous ceux qui les con-
naissaient, mes parents s'entendaient, unis dans
leur volonté de poursuivre la route. Mais je
savais, moi, que leurs chemins étaient divergents,
parallèles, ne se croisant jamais. À Alep, ils se
disputaient souvent et ne se gênaient pas pour
réveiller les voisins de leurs hurlements. Or, là, le
bruit n'existait pas tant on y était immergé.*

*Au Brésil, nous étions des étrangers, davan-
tage aux yeux des cousins couverts de domestiques et de bijoux qu'à ceux des inconnus. Mes
parents se taisaient, comme frappés de mutisme,
ne disant même plus qu'ils étaient juifs. Je me
souviens de la Bar Mitsvah d'un lointain cousin
célébrée au Club juif. Pour ma mère, il s'agissait
d'un monde à part. Piscines, courts de tennis, restaurants. Un monde protégé, enchâssé où nous
pénétrions par privilège. Étions-nous de simples
visiteurs ou des intrus qui forçaient les portes,
s'introduisaient par effraction? Il était évident
que nous étions des étrangers.*

*Je ne sais plus si j'ai eu une enfance heureuse,
car je n'ai nulle conscience d'avoir eu une
enfance. À peine ai-je commencé à lire et à écrire
l'arabe à Alep qu'il fallait ouvrir un autre livre.
Mon père insistait pour me faire ânonner le
kaddich en hébreu. «Tu le réciteras à ma mort»,
me faisait-il promettre. Oui papa. J'ai tenu parole,
pendant deux, trois ans, puis j'ai quitté la religion
comme on quitte une ville, une maison. J'y revenais périodiquement, tout seul, à regret ou comme
par transgression. À d'autres occasions, j'obéissais à une habitude, un rappel que je qualifiais –
sans doute abusivement – de fidélité. En se taisant, mes parents avaient tout enseveli dans le*

silence. Ils ne se disputaient plus. N'était-ce pas inutile, comme tout le reste, comme la vie elle-même ? Sans me regarder, ils débattaient de mon avenir, comme s'ils ne pensaient pas à moi. Ils m'aimaient, oh oui ! et je ne vais pas tomber dans une confortable ingratitude. À ma moindre toux, ma mère perdait le sommeil et mon père aurait fait des kilomètres pour me chercher un livre d'étude. J'étais submergé de mots, comblé de paroles. Beau, intelligent, volontaire, entêté, à leurs yeux, j'avais tout pour réussir, atteindre les sommets. Sauf qu'à peine allais-je m'installer intérieurement dans une ville, reconnaître ses rues et ses murs, que mon père et ma mère annonçaient un nouveau départ. À Alep, à Sao Paulo, comme à Brooklyn, tous les espoirs étaient permis à l'arrivée, mais très vite après, c'était la même disette et les mêmes efforts pour accumuler des objets, et dehors, dans la rue, une misère perpétuellement répétée. J'ai vite atteint l'âge où, aux heures de vacuité, le jeu ne règne plus et où l'ennui tombe comme une chape.

J'ai traversé tant de villes dont j'étais à chaque fois privé. J'ai assisté, en spectateur, à des pratiques, à des rites dont j'ignorais la signification. Entre Alep et Sao Paulo, le décalage était trop immense pour qu'à mon âge, je puisse en prendre mesure. À Brooklyn, l'écart était encore plus considérable. En étais-je plus conscient parce que j'atteignais les années de discernement, ou bien la ressemblance entre deux métropoles, Sao Paulo et New York, me rendait possible les comparaisons. J'étais trop proche du tourbillon pour m'arrêter. À chacune de mes réactions, même quand il ne s'agissait ni de protestation ni de refus, ma mère ne cessait de me marteler : « Ici, c'est ainsi qu'on vit. Ici, c'est ainsi. » C'était devenu un précepte, une règle de conduite. Qui étions-nous pour oser interroger le destin ? Allions-nous rebâtir New York à l'image d'un Alep que nous avions volontairement quitté ? Je n'ai pas eu la force de condamner mes parents de m'avoir soustrait à la réalité du monde. Je me suis tourné instinctivement vers l'avenir, l'action, la prise en mains de l'existence et j'ai perdu, ainsi, toute capacité de blâmer ou de me sentir coupable, comme si j'étais condamné à une perpétuelle fuite en avant.

Ai-je volontairement choisi d'enterrer mon enfance et ma jeunesse pour nier ensuite les avoir vécues ? Tout est tellement confus ! Je suis né dans une ville que je ne connaitrai jamais. C'est ainsi. Voulu. Décidé. Pour me convaincre que le chemin est sans retour, je m'emploie à le balayer, à l'effacer. Il n'existe plus. La ville s'est envolée, agglutinée à une autre qui, à son tour, s'est évaporée dans un rêve. Je suis en Amérique là où tout est possible, toutes les attentes permises. Puis-je reprocher à mes parents de m'avoir volé mon passé, de m'avoir privé d'histoire ? Pauvres gens qui n'ont cessé de crier, de hurler en gesticulant, protestant de tout faire pour construire mon avenir, édifier mon bonheur. Je n'ai peut-être pas su répondre à leur appel, à leur attente.

Un ami fait un voyage, traverse une frontière aussi longue qu'invisible, tombe sur une fille, différente du simple fait qu'elle est d'ailleurs. Où est aujourd'hui cet ami dont je n'arrive plus à reconstituer en imagination les traits ? Et la fille ? Semblable à toutes celles qui à Queen's, à Long

Island n'attendaient pas le prince charmant, mais le bon travailleur qui offrirait maison et bijoux. Traverser une frontière invisible, illusoire pour aborder un pays élu! Événement anodin. Ce Canada, si cher, je l'ai bel et bien inventé. Je ne croyais pas à la différence, car je ne m'en étais jamais aperçu. Dans cette terre où j'ai fait ma vie, je l'ai créé de toutes pièces. Pour m'en convaincre, pour me donner raison, je me suis appliqué à déchiffrer les pages d'un passé qui n'était pas le mien, qui ne m'appartenait pas, auquel, le moment voulu, je pouvais opposer une totale indifférence. Oh oui! Bien sûr! Tout le monde le dit et le proclame, je suis un chercheur sérieux, digne de ce nom, respectable. Quelle supercherie! Inventer une histoire pour effacer une mémoire! Quelle importance si celle-ci était éparpillée, qu'elle me parvenait par fragments, sans liens, qu'elle était faite de ruptures, d'une volonté, fut-elle non délibérée, de semer en chemin la douleur, de couvrir par l'oubli, une souffrance inavouable.

Et puis après? D'autres sont passés par là, se sont acharnés à capter les traces du passé, ont tenté de ne pas s'enfoncer dans la confusion. Ils n'avaient pas honte de faire naufrage, ne reculaient pas par embarras. Et d'abord, qui sont-ils ces autres? Je ne peux même plus me souvenir du compagnon d'études que j'ai suivi dans ce pays. Je ne fuyais pas et personne ne me chassait. Je ne faisais que suivre l'exemple de ma mère en dirigeant mes regards en face, devant moi. Rien n'était derrière. Je renaissais constamment. Était-ce une volonté de vie ou une résignation, une soumission à la mort?

Les jours de fêtes, à Pessah, à Yom Kippour ou à Soukkoth, ma mère dressait la table, refaisait les mets de sa mère. Elle ne demandait pas pourquoi mon père acquiesçait, tête baissée. C'était la fête. Laquelle? Les autres aussi célèbrent des fêtes. Mais, pour eux, les autres, ce sont nous. Dans les villes de notre passage, on se réunissait sans chercher les dates dans d'obscurs calendriers et on ne pensait pas aux autres. Pourquoi m'imposait-on de célébrer à la sauvette? Toutes ces maisons, ces rues, ces magasins des villes ensevelies, se recouvrent, s'entremêlent et, subitement, surgissent de l'ombre et remontent à la surface. Je m'empresse de les couvrir de voiles, de les masquer.

Je me suis rabattu, tout au long des années, sur mes recherches pour me protéger des fantômes qui me hantaient. Aujourd'hui, je suis un ancêtre, un homme que l'on célèbre et qui remercie tous ceux qui l'ont placé sur un piédestal.

Sans me recueillir, je m'arrête. J'éprouve la blessure d'une perte imperceptible que je me suis employé à masquer. Je n'ai pas eu d'enfance. Je n'ai pas eu de jeunesse. Mes oreilles bourdonnent et la chaleur me brûle le visage. On n'ensevelit pas impunément sa vie et, si on n'est pas aux prises avec l'enfance, si on ne l'affronte pas, on incendie l'âge d'homme, on traverse les années sans les éprouver, on se réduit à une ombre. Celui que vous célébrez est un substitut, un être de remplacement, sans passé et sans présent. Un fureteur, qui ne fait que frôler l'événement. Je répertorie la vie, la classe, la met en chiffres. Je la connais dans des détails parfaitement insignifiants. Non seulement ai-je choisi l'histoire pour me réfugier hors du temps, en me donnant l'illusion d'y plonger, mais je m'y suis appliqué pour obtenir plus de sécurité, pour sceller ma distance. J'ai opté pour l'histoire d'un pays inconnu que j'ai abordé sans attaches et sans rêve. Ma seule attente était de reprendre la route.

Venant de nulle part, j'allais devant moi, porté par le hasard ou, comme je l'ai affirmé ironiquement, je suivais mon destin, cette force impérieuse, supérieure et insignifiante. Je prétendais ne croire en aucune révélation, en nulle divinité. N'étais-je pas, ouvertement et volontairement, l'esclave des archives et le serviteur des documents?

Plus tard, quand d'autres chercheurs m'interrogeaient sur ma religion, je répliquais que je préférais ne pas en avoir ou, du moins, ne pas l'afficher afin de disposer de toute ma liberté, de toute ma rigueur par rapport aux documents. Au début, ceux qui affichaient la leur – le catholicisme ou, pour les rares anglophones que je fréquentais, une des dénominations protestantes – m'assénaient brutalement leurs questions. Je parais aux coups en me posant en victime atteinte dans sa conscience et son intimité. Les Juifs, qui me supposaient un Juif honteux, me dédaignaient ou me croyaient secrètement converti au christianisme et m'évitaient; les chrétiens m'abandonnaient au mystère.

L'université, la recherche avaient bon dos. Nous y nageons, à l'unisson, dans l'objectivité et le détachement. Les immigrants et les enfants d'immigrants me posaient souvent la question: comment avez-vous fait? Puis, ils déballaient chacun leurs déboires. Des silences, des refus et surtout *une hostilité muette, invisible, un mélange de peur, d'indifférence, de suspicion et d'irritation. «Nous ne sommes pas désirés, nous ne sommes pas acceptés», me confiaient-ils dans la discrétion complice d'un semblable, d'un frère d'infortune. «Comment avez-vous fait pour ne point buter contre les hostilités et les animosités? Comment avez-vous fait pour être accepté, accueilli, célébré?» «Et vous, comment avez-vous fait? avais-je souvent envie de répondre. Vous, qui chantez votre amour pour ce pays, qui louez son accueil, la chaleur de sa population.» Avons-nous tous un double langage? Non. Ils l'aimaient, ce pays. Ils le bénissaient, n'en voulaient pas d'autre. Mais que de ressentiments accumulés, que de colères rentrées, que de cruelles déceptions, que de rêves trahis! C'est tellement facile d'attribuer nos échecs, nos manques, nos malchances à un pays, à une ville, à un peuple. Cela nous dégage de toute responsabilité dans la marche et le déploiement de notre destin.*

Et moi? J'ai survolé, en les effleurant à peine, les territoires des résistances, des refus, voire des congédiements. Après tout, je n'étais pas venu en demandeur, avec la main ouverte du mendiant. Voyageur sans bagages, je m'appropriais un passé, une histoire qui n'étaient pas les miens. Y a-t-il une manière plus convaincante de rassurer, de flatter? Non, affirmais-je, votre histoire, en dépit des légendes qui ne sont que des préjugés, n'est pas ennuyeuse même si pour le spectateur superficiel elle apparaît dépourvue d'actes d'héroïsme, de hauts faits d'armes. Au contraire, elle déborde de passion. Et quelle meilleure preuve que le choix fait par un étranger aux naissances

multiples ? Je n'enlevais rien à personne. Je donnais. Quelle générosité ! Un homme qui quittait
New York, laissant derrière lui des continents, des
contrées, des mémoires riches, et qui atterrissait
dans cette terre, disposé à toutes les surprises, les
bras ouverts, accueillant toutes les mémoires
neuves et inconnues. Oh oui ! je fus en butte à des
suspicions, des craintes, des incertitudes, mais je
fermais les yeux. Cela ne me concernait pas tant
que mes adversaires n'allaient pas au-delà des
chuchotements, des attaques en sourdine. J'étais
ailleurs. Mon monde m'appartenait et personne ne
pourrait me l'enlever. J'échappais à tous les obstacles dressés sur mon chemin, les survolais, les
effleurant à peine, de temps en temps, pour m'assurer que j'étais encore sur terre, que je n'errais
pas dans un ciel de rêve, un paradis perdu, à
l'abri, dans une mémoire autre et une histoire que
j'inventais au passage des années. Je m'égarais
volontairement, me détournait de tout ce qui, sur
terre, rappelait les pièges, les précipices et les
murs. Devant moi, les portes étaient grandes
ouvertes. En fait, elles étaient invisibles ou, tout
simplement, n'existaient pas.

Ce n'était pas une duplicité calculée, lucide,
ni même inconsciente. En balayant un passé
lourd, multiple, je me plaçais à distance de tout
passé, et quelle merveille de m'approprier une
histoire ! Était-ce un piège ? Je le niais fermement
sans être certain d'avoir contourné les traque-
nards, d'avoir côtoyé les précipices et les obstacles en croyant les éviter, car je planais, ne les
voyant que du haut de mon refuge.

◆

Ma chère Deborah,

Je t'écris dans la confusion et dans un déborde-
ment d'émotion. Je revis constamment, dans le
bouleversement et la honte, la scène de nos
retrouvailles. J'avais donné ton nom à l'organisateur de la soirée sans savoir si tu avais la même
adresse. Cela fait huit ans que tu ne m'as pas
donné signe de vie. Ta mère m'a appris, il y a trois
ou quatre ans, qu'elle était toujours en rapport
avec toi, que tu allais bien, que ton mari s'occupait bien de toi, que tes enfants grandissaient...
J'étais rassuré... dans l'amertume. Ton nom ne
figurait pas parmi ceux qui avaient répondu à
l'invitation. J'arrive dans la salle et voilà une
femme aux cheveux grisonnants qui s'avance vers
moi. Dans la foule, c'est l'incertitude et, oui, je
crois reconnaître ce visage. Tu t'avances vers
moi : « C'est Debbie. » Debbie ? Je n'avais pas
encore intégré ce nom que tu as adopté depuis
ton départ pour la Californie... Ma fille s'appelle
Deborah. Nous avions longuement débattu, ta
mère et moi, du choix de ce nom. Debbie. Je vois
l'interrogation inquiète inscrite sur ton visage.
« Je suis Debbie, ta fille ! Tu ne me reconnais
pas ? » Huit ans de silence et puis, maintenant, tu
es Debbie et je ne te reconnais pas. Quelle horreur ! Ma fille unique, mon seul enfant. Tu triom-
phais. Tu avais donc raison sur toute la ligne.
J'étais bel et bien le père que tu prétendais :
absent, ingrat, égocentrique, égoïste. Je reprends
tous les qualificatifs dont tu m'as affublé tout au
long des années. Les larmes et les embrassades ne
suffisent pas pour effacer la honte. Ma fille, l'être
au monde que j'ai le plus aimé, le plus adulé, je

ne la reconnais pas ! Tu n'étais même pas fâchée.
Cela t'a fait rire, puis réconforté dans ton choix
du long mutisme, fourni la justification dont tu
n'avais nullement besoin.

As-tu fait exprès de t'asseoir dans un coin où,
de la tribune, je ne pouvais te voir ? Et puis, le
lendemain, hier matin, tu m'as téléphoné pour
m'apprendre que tu partais. Toute la soirée, je t'ai
cherchée dans la salle. Étais-tu partie avant la
fin ? Tu m'as dit que tu ne voulais pas m'embar-
rasser. Deborah, ma chérie, tu es venue. Tu as fait
le voyage. Pourquoi t'es-tu pressée de partir sans
me donner la joie de te regarder à loisir, de te
toucher, de te retrouver et de te dire mon amour
constant et inaltérable ?

Quand l'organisateur, Maurice, a dit, du haut
de la tribune, que ma vie était une réussite, j'ai
ressenti l'amère ironie de ton retour et, aujour-
d'hui, je pense à ton départ avec un pincement au
cœur, une colère contre moi-même et, surtout,
une infinie tristesse. J'aurais dû tout lâcher pour
t'emmener loin du monde, de la foule, être seul
avec toi, te prendre dans mes bras comme une
enfant, mon enfant.

Souvent, tu m'as reproché de ne jamais rien
comprendre. Je l'admets. Mais comment faire si
on ne m'explique pas, si on refuse de le faire.
Avant d'aller plus loin, car je crains que tu n'aies
pas la patience d'aller jusqu'au bout de ce mes-
sage, de cet appel, je te dis et te répète : « Je
t'aime ». Tu fus, tu es et tu seras toujours mon
grand amour, la grande aventure de ma vie. Je sais
que tu m'en veux et que ta colère, ton ressentiment, ton dépit ne se sont pas dissipés. Je sais
aussi que tu m'as aimé et que ton amour n'a pas

disparu même s'il s'est un peu éteint, qu'il est en veilleuse. Autrement, tu n'aurais pas fait ce voyage éclair. Tu n'es pas venue pour me faire des adieux. Je suis encore là et même si j'avance en âge, je ne suis pas pressé de partir.

Nous nous sommes séparés ta mère et moi dans le conflit et le déchirement. Au cours des vingt années passées ensemble, nous nous sommes constamment disputés et nos querelles duraient parfois des heures et des jours. Mais tu étais là et cela rétablissait l'équilibre, nous remettait à nouveau sur les rails. Je sais, tu passais exprès des journées, des nuits, des fins de semaine chez une copine ou une autre pour éviter de rentrer et affronter le feu qui consumait nos énergies et nos vies. J'ai fini par me décider. Il fallait que je parte. Non pas à cause d'une autre femme comme tu l'as cru. Lily n'était qu'un prétexte, une bouée de sauvetage. Elle m'a conduit sur la rive, puis nous nous sommes quittés.

Enfant, tu me demandais : « Comment as-tu fait pour épouser ma mère ? » Jalousie de fillette qui prenait conscience de son corps. Oui, je ne cessais de chanter la beauté de ta mère. Ce n'était pas un fantasme. Ta mère est encore pour moi la plus belle femme que j'aie vue. Elle prétend que je ne l'ai jamais vraiment aimée. Peut-être ai-je failli à répondre à ses propres fantasmes, à combler ses rêves. Je me plongeais dans mes recherches, passais des soirées et des nuits à consulter des photocopies d'archives, à faire des recoupements, des découvertes. Bref, je vivais ailleurs, dans l'histoire, dans un monde que j'avais le sentiment de révéler sinon d'inventer.

J'admets que, pour ta mère, cela pouvait être frustrant, d'autant plus que son enseignement au secondaire l'intéressait de moins en moins. Les retours, en fin de journée, commençaient et finissaient dans la bagarre. Tous les prétextes étaient bons, les plus futiles comme les plus stupides. Souvent, je tombais dans le piège et n'avais alors qu'une hâte : retrouver mes archives et mes documents.

Tu te sentais délaissée ? Tu avais raison. Tu étais la victime d'un immense malentendu qui nous opposait ta mère et moi. Tu es assez âgée pour que je puisse te dire aujourd'hui qu'entre ta mère et moi, jamais un problème physique, sexuel ne s'était posé. Je la désirais et je crois qu'elle partageait ce désir. Justement, c'est dans le lit que nous trouvions les seuls moments de répit. Réconciliations instantanées, mais combien éphémères. Je crois que ta mère souffrait d'une frustration fondamentale que mon amour pour toi exacerbait. J'ai mis inconsciemment ma passion pour elle sous le boisseau, sans me rendre compte qu'en la privant, je n'évitais pas de te frustrer. Et on appelle cela une vie réussie. Tu voyais ta mère pleurer, se plaindre, souffrir et tu m'attribuais la responsabilité de son malheur. C'était peut-être aussi ta manière d'exprimer ton propre ressentiment de ne pas être regardée.

Je n'ai su que plus tard que, durant mes absences, tu te disputais violemment avec ta mère. Tu as finalement choisi la route la plus courte, la plus directe, la moins pénible aussi : partir.

Il y eut ensuite le divorce et les interminables histoires d'argent. Tu as cru, à moins que ce ne fut ta mère qui t'ait mis cela dans la tête, que j'avais l'intention de te dépouiller de ton héritage, de me délester de mes biens en faveur d'une autre femme. Quelle rigolade! J'avais beau nier, t'expliquer... Rien à faire. J'ai fini par préparer un testament. Mais tu n'étais plus là et je ne savais même pas si tu avais la même adresse.

Deborah, ma chérie, tu es ma seule, mon unique héritière. Au risque de te décevoir, il vaut mieux que je mette tout de suite les points sur les i. Cet héritage ne sera pas bien lourd. À part les meubles, bien ordinaires et une vieille maison qui se vendrait difficilement sans d'importantes rénovations, il ne reste que des livres dont personne ne voudra et des droits d'auteur bien modestes. Je ne nie pas que j'ai une grande réputation, et je m'en réjouis, mais les lecteurs ne se précipitent pour acheter mes livres.

Tu es l'unique héritière – et il me plaît de le répéter – d'un père qui n'a pas su te communiquer les immenses sources de son amour et qui ne te laissera que peu de biens. Heureusement que tu travailles et que ton mari gagne confortablement sa vie; à ce qu'on me dit vous n'avez pas vraiment besoin du petit magot de l'héritage.

Pourquoi ce lourd et long silence, Deborah? Je ne cesse de me poser la question. J'avais beau m'accuser, admettre ma responsabilité, je ne me sentais pas moins victime d'injustice. J'ai fait de nombreuses tentatives pour te rejoindre, toujours prêt à m'amender pour reprendre le fil. Rien à faire. À tous mes appels, tu opposais une fin de non recevoir. J'ai fini par me résigner à cet autre échec et il ne me restait d'autre recours que de me replonger de plus belle dans l'histoire. Il m'arrive souvent de me demander si le Canada, où j'ai passé la majeure partie de ma vie, et plus particulièrement son histoire n'étaient pas devenus un prétexte pour soulager des douleurs, amoindrir des chocs, oublier... Car, paradoxalement, l'histoire peut se transformer en une manière détournée, vicieuse et perverse d'oublier.

Il ne se passait pas un jour sans que l'image de ma petite fille, rentrant de l'école, se mettant sur mes genoux, entourant mon cou de ses frêles bras, ne revînt me hanter, se répercutant interminablement dans ma tête, tel un mal qui ne lâche pas prise. Pour me protéger, pour préserver ce qui me restait de sentiment et d'énergie, et peut-être par égoïsme, je m'étais finalement décidé à ne plus demander de tes nouvelles. Mais voilà. Hier tu étais là! L'enfant adoré, la petite fille aimée resurgit, dissipant ténèbres et ombres. Tu es vivante. Quelle lumineuse clarté! Tu es venue et tu m'as parlé. Je ne me contente pas facilement de peu, comme tu pourrais croire. Mais à mon âge, on prend ce que la vie veut bien nous donner. Je pourrais rêver de connaître mes petits-enfants, de leur parler, de les choyer, de me raconter devant eux afin que ma vie ne se dissolve pas dans le néant, en pure perte.

Par ce fulgurant passage, tu m'as restitué, comme tu vois, l'énergie et les rêves de la jeunesse, cette capacité d'attente, cette aptitude de croire en une promesse. Parfois, j'attribuais tout le blâme à ton mari. Je le connais à peine. Je te vois encore à vingt ans. Belle, fraîche, le monde t'appartenait. Tu ne t'entendais pas avec ta mère. Je te comprenais, puisque c'était aussi mon cas et mon sort. Pourtant, au lieu de créer des complicités entre toi et moi, au lieu que cela nous unisse, cela nous a éloignés et tu en étais venue à m'en vouloir de tes querelles avec ta mère qui n'étaient, me disais-tu, que la réplique des miennes avec elle. Non seulement tu me les mettais sur le dos, mais tu m'attribuais toute la responsabilité de notre mésentente. Puis, un jour, Tim sonna à la porte; il était venu te chercher et tu me l'a présenté. Il était là devant moi, un grand gringalet, incapable de prononcer un mot de français, cette langue héritée de mes parents. Il est américain comme toi, me lanças-tu plus tard. Comment voulais-tu que j'accepte ce garçon de nulle part, dont je ne savais rien et qui venait me prendre ma perle, mon trésor?

Ta mère a tout de suite crié à la jalousie. Un peu plus et elle te jetait dans ses bras pour avoir raison contre moi, pour me mettre au désespoir. Oui, je ne l'ai pas bien accueilli, mais il faut dire qu'il n'a rien fait pour que je l'accepte. Il me fuyait. Par timidité, me disais-tu, par crainte, puis finalement, en affrontant mon hostilité par le refus et le mutisme. Un homme de passage, me dis-je. Il traversait le continent, votre rencontre était un arrêt et il a repris sa route. Le silence s'est installé entre toi et moi, silence qui a duré des mois, une année. J'ai appris son retour par ta mère. Il ne lâchait pas prise et, tout en demeurant invisible, il a fini par gagner.

Tu es partie en Californie. J'apprenais ton passage à Montréal par ta mère, devenue ton alliée. Avait-elle cherché à se débarrasser de toi pour avoir le champ libre et régner toute seule? Nous avons mal calculé notre existence. Toi absente, le face à face quotidien avec ta mère m'était devenu insupportable. Quant à toi, tu as décidé de te marier et d'avoir des enfants.

J'espère et je souhaite que tu aies trouvé le bonheur, que Tim est à la hauteur, qu'il t'avait vraiment méritée. Mais pourquoi tous ces dégâts, toutes ces pertes? Je suis au seuil de la vieillesse, sur le point de partir et je me retrouve tout seul avec mon amour. Que de débordements laissés en friche, inemployés, que de désirs étouffés, que d'élans frustrés! Je ne peux plus rien rattraper. Je suis même privé de mes petits enfants. Pourquoi? Tu as atteint l'âge qui te permet de vaincre le ressentiment, de dépasser la colère. Tu as fait un pas. Je te demande de ne pas t'arrêter en chemin. Tu peux, tu dois revenir avec ton mari et tes enfants et, à ton premier appel, je me précipiterai pour vous rejoindre en Californie.

J'attends désormais très peu de la vie. Mon temps est fait. Le passé ne m'appartient pas et l'avenir est rétréci. Peut-être – et ce serait l'ultime cadeau de l'existence – pourrais-je finalement atteindre à la réconciliation. Je ne te demande aucune explication. Tu es partie comme un coup de vent. M'en as-tu voulu de ne pas t'avoir reconnue instantanément? Ce qui importe pour moi, c'est que tu sois venue. Tu as fait le voyage et je t'ai enfin revue. À partir de maintenant je vivrais dans l'attente, dans cette douce impatience du retour, de la parole qui comble, du regard qui bouleverse.

Je salue ton mari et embrasse tes enfants et je te prends dans mes bras, petite fille et grande dame, ultime lueur de mes jours.

Ton père,
René

Je me mets à genoux devant Deborah. J'accueille sa présence à la cérémonie comme ferait le mendiant d'une première aumône. Je suis à plat ventre, je m'humilie. Elle n'est venue qu'à regret, et peut-être seulement pour voir sa mère. Elle n'a sûrement pas entrepris tout le voyage pour me faire plaisir. Peut-être ne voulait-elle que se venger encore une fois, et elle a bien réussi. Je ne l'ai pas reconnue ! Ma propre fille ! Et j'affirme que n'ai jamais aimé personne autant qu'elle ! La voilà confirmée dans son sentiment : son père est un perpétuel absent. Il l'a toujours été. Pendant des années, elle m'a bafoué, ne me donnant jamais signe de vie. Ses enfants naissaient et j'en étais tenu dans l'ignorance. Ce sont aujourd'hui des adultes et il m'est interdit, moi leur grand père, de les voir. Et je me confonds en excuses, proclame ma culpabilité. Rien n'y fait. Qu'ai-je fait de si horrible ? Oui, je t'ai tellement aimée, D. Tu vois, je n'ose même plus prononcer ton nom. Tu te présentes comme Debbie. Et puis, c'est vrai, tu n'es plus Deborah. Tu as abandonné ton nom, tu l'as perdu. Dans ma tête, tu n'es plus que D., l'ombre d'une petite fille qui a grandi et qui a disparu comme une masse qui fond et s'évapore. Le jour de ta naissance, la terre ne me portait plus. Léger, je sautillais, je m'envolais dans une intensité que je n'ai connue ni avant ni après. J'étais le père et le petit animal rose piaffant qu'on m'a présenté était la reine, ma princesse. Le monde n'était plus le même.

Nous étions alors encore amoureux, Marianne et moi. Ta mère était aussi heureuse de te tenir, de t'allaiter que je l'étais de te donner le biberon et de changer tes couches. Deux ans, trois ans après ta naissance, la bataille a commencé entre ta mère et moi. Que s'est-il passé ? Je ne sais pas si tu en étais la cause. Le prétexte, oui. Tu vois, ces mots que tu ne liras pas, c'est à toi que je les adresse. Mais tu ne m'écoutes pas. Tu ne l'as jamais fait. Je sais que j'ai des torts et je ne cesse de les avouer, de demander pardon.

Trop pris par mon travail, je passais des soirées dans mon bureau. T'es-tu jamais demandé pourquoi ? La carrière ! Quelle plaisanterie ! Aujourd'hui, on me célèbre, on chante mes louanges et toute ma vie je n'ai désiré, voulu, attendu que le sourire d'une morveuse. Tu n'aimais rien, ni la viande ni les fruits. Sauf le chocolat, et encore ! de temps en temps seulement. Tu repoussais tes vêtements, refusais de mettre tes chaussures pour lesquels ta mère dépensait des fortunes. Tu n'aimais ni ta mère ni ton père et toute ma vie j'ai dû subir tes blâmes. Un père égoïste qui ne pense qu'à sa recherche, qui n'est pas là le soir pour embrasser sa fille quand elle va au lit. Tu as détesté ta mère, tu en étais jalouse et tu avais raison, car aucune femme ne l'a jamais égalée en beauté. Pour ton malheur, tu avais mes traits.

On a beau accuser les parents, les enfants ne sont pas innocents. À trois ans, tu ne voulais jouer avec personne et, dans le parc ou à la maternelle, tu arrachais les jouets aux autres enfants pour les briser. La hargne, la violence, puis le retrait dans le silence. Tu boudais. Tu passais des heures à pleurnicher sans raison. Puis, plus grande, tu t'acharnais aux études et tu étais la première en tout, car tu ne souffrais pas la concurrence. Mes amis s'exclamaient : « Tu dois être fier de ta fille ! » Fier ? Oui, je l'étais mais de loin, à distance. Et moi qui rêvais d'une petite fille caressante, câline, qui se mettrait sur mes genoux. À deux ans déjà, tu étais intouchable. Un baiser ? Non ! Un câlin ? Non ! Tu n'as jamais été belle et tu n'avais même pas le charme d'une enfant.

Souvent, on confond la petite fille incomplète, indéterminée avec la fraîcheur et l'innocence. Tu étais sèche et on te prenait pour une timide. Et pourtant, je ne pouvais m'empêcher de t'aimer. J'attendais l'impossible, le miracle. En grandissant, tes yeux s'ouvraient au monde. Tu n'avais pas d'amis et, à quatorze ans, tu te faisais accompagner de pauvres bougres. Les garçons défilaient, à ton service. Des faibles, des perdants qui mendiaient tes faveurs, t'obéissaient. Ta parcimonie était devenue ta marque et les pauvres innocents te suivaient, se soumettaient à ta volonté. Tant et tant de fois j'avais envie de les secouer, mais tu étais ma fille et je n'allais pas prendre leur partie.

Puis ce fut le bouquet, ce demeuré, ce blanc bec, Tim. Il doit être encore à ton service, jour et nuit. Tu ne l'aurais pas gardé autrement. Tu l'as épousé et il t'a donné des enfants. Il travaille, le pauvre besogneux, attendant tes rares signes de satisfaction. D'où es-tu sortie ? Comment fais-tu ? Des années passent et pas un signe. J'écris, j'appelle. Tu m'évites. Même quand c'est toi au bout du fil, tu n'es jamais là. J'ai finalement abandonné.

Un jour, ta mère m'a dit que tu avais honte de moi. Honte ? Qui es-tu pour avoir honte de qui que ce soit ? Pour toi, j'étais un immigrant venu d'un coin obscur du globe, un étranger.

Balivernes! On célèbre ton illustre père et te voilà! Tu fais le voyage. Que vas-tu emporter? Il n'y a pas d'argent et les honneurs ne se transmettent pas. J'ai été malade, seul, et pas une carte, pas un appel. Rien. La page était tournée et tu n'avais plus ni père ni mère. Oh oui! tu t'es souciée de l'héritage. Tu as fait des démarches et, une fois rassurée, tu es retombée dans le silence.

Une fois, tu m'as vu avec une femme. Je lui donnais le bras. Tu as alors traversé la rue. Plusieurs fois, tu m'as surpris avec des femmes. Il fallait bien. Avec ta mère, c'était l'enfer. Je n'allais tout de même pas m'expliquer et m'excuser auprès de toi. M'as-tu condamné, m'en as-tu voulu? Est-ce pour cette raison que je m'humilie aujourd'hui? Ou peut-être, pauvre naïf, je crois encore au miracle? Une fille aimante qui fait un long voyage pour voir son père. Ou peut-être avais-tu une démarche à faire dans une banque, une compagnie d'assurances, chez un avocat?

Tu es pour moi un rappel constant, lancinant d'une blessure, d'une douleur, d'un échec. Un malheur. J'avais tout attendu de ta venue au monde. Un moment crucial, essentiel, retranché de la vie, volé. Je suis un être mutilé. Rien n'est plus horrible que de perdre un enfant qui est en vie. Une blessure béante qui interdit le deuil.

Tu es venue et tout était balayé. J'étais prêt à toutes les concessions. La vie pouvait recommencer, repartir d'un nouvel élan. Mais tu es repartie en me reprochant de ne pas t'avoir reconnue. Quand je t'avais réellement vue, finalement reconnue, je me suis dit : voici la seule femme que j'ai aimée au-delà de tout désir. Je sais, tu me jetterais ma mère à la figure, car je n'oublie pas ton insolence, car tu prenais plaisir à me provoquer : « Tu ne t'es jamais libéré de ta maman. » Tu te plais à ignorer que je n'avais pas encore l'âge du désir quand il m'arrivait, bien rarement d'ailleurs, de me blottir contre elle. Je ne sais même pas aujourd'hui si, à mes yeux, elle était une femme. Tandis que toi, je t'ai vu pousser, j'ai vu tes seins s'arrondir, tes hanches s'épaissir. Tu étais ma fille et je peux me dire que si tu as été la femme que j'ai le plus chérie, ce n'était pas inconsciemment parce que tu étais un rêve exacerbé par la privation.

Tu t'es interdite toute effusion, toute marque d'affection à mon égard. Ainsi, mon grand amour, je l'ai vécu dans la frustration, le dépit et, en fin de compte, dans une colère désespérée. Maintenant, je t'en veux et je t'en voudrai jusqu'à la fin de mes jours. Et je sais, pourtant, qu'il suffirait que tu mettes ton bras autour de mon cou pour que tout l'édifice s'effondre. Je croirais alors à un miracle et serais enfin reçu, admis dans le cercle de la vie, véritablement célébré, car je serais alors doublement reconnu comme père, à perpétuité, puisque je suis le grand père des enfants que tu m'as enlevés.

✦

Mon cher Adrien,

J'ai été très ému par ta présence à la soirée et très touché par ton mot et tes vœux.

Cela fait bien dix ans que nous nous croisons dans les couloirs de l'université, que nous nous côtoyons dans les diverses réunions de comités sans avoir une véritable conversation. Nous sommes toujours d'une courtoisie exemplaire l'un envers l'autre, ce qui est une manière de nous éviter, pire, de nous ignorer. Ton mot et, encore plus, ta présence m'ont ramené bien loin dans le temps et m'ont fait revivre un passé riche, plein de souvenirs, et puis, soudain, ce fut la brisure. Soudain? Peut-être pas. Car une amitié réelle survit aux circonstances, surmonte les vicissitudes, conquiert les heurts de caractères, de volontés et d'ambitions. C'est tellement facile de se soustraire à un lien si fort en prétendant qu'il n'a jamais existé et que, de toute façon, il n'a pas été aussi étroit qu'on l'a cru.

Ta présence à la soirée a jeté pour moi une nouvelle lueur sur le passé. Peut-être ne m'étais-je pas trompé sur la réalité de notre amitié. D'où le besoin, la nécessité de reconnaître ma propre responsabilité dans son étiolement ou, je le dis dans un élan d'espoir, de sa mise en veilleuse. Que s'est-il passé entre nous? Quand nous nous sommes connus, étudiants, nous partagions la même soif, le même appétit de découverte, la même ambition. Aucune rivalité ne perturbait notre amitié. La recherche gouvernait nos efforts. Nous allions nous réjouir de nos découvertes, de nos réussites. Nous puisions à la même source et nous voulions apporter notre part pour enrichir le trésor. Cette promesse tacite nous liait et nous n'éprouvions nulle besoin de l'exprimer ouvertement.

Puis, petit à petit, imperceptiblement, nos chemins ont divergé. Lentement, patiemment, je me suis plongé dans les archives, les textes, les documents originels. Pour toi, mon comportement était l'image de l'ennui. Tu rejetais mes efforts, en les taxant d'inutilité. Tu étais plutôt porté par l'impatience. Tu cherchais les voies parallèles, les courts-circuits. Tu évitais, me disais-tu, les impasses et les fourvoiements dans des tunnels où l'on se perd et où on finit par se résigner à ne pas aboutir, à ne rien trouver. Un consentement à la stérilité, une volonté inavouée de reculer le moment de la confrontation avec le réel, fut-il enfoui dans les archives. Or, sans avoir besoin de termes explicites et d'explications précises, les sauts que tu croyais faire n'étaient qu'une façon détournée de ne pas te soumettre à l'effort nécessaire, aux contraintes de la recherche. Tu avais des intuitions fulgurantes, souvent justes, sauf qu'il fallait les vérifier. Sans l'admettre, tu t'attendais à ce que d'autres, les besogneux de l'esprit tels que moi, que tu condescendais à qualifier de bénédictins, s'en chargent.

Quand tu as publié ton livre sur Maisonneuve, je fus ébloui par la somme de faits, d'informations que tu avais pu accumuler. Dans mon article – et je me rends compte maintenant que je n'aurais jamais dû consentir à l'écrire –, j'étais très sévère, très dur. Je te reprochais d'avoir puisé tes informations dans les travaux d'autres historiens, que tu citais d'ailleurs scrupuleusement, sans ajouter ton propre apport.

Aujourd'hui, je dirais que ta contribution se situait ailleurs, dans le champ de l'évaluation, dans la mise en lumière d'une personnalité, d'une société, dans la conjonction des deux. Tu éclairais le rôle du personnage dans l'histoire. Ton livre était plus une réflexion qu'un document de recherche.

Ouvrage personnel, plus personnel que tout ce que j'ai pu écrire au cours des années. J'étais aussi, sans doute et sans me l'avouer, frustré, fâché contre moi-même de n'avoir encore rien produit alors que tu présentais ton monument.

Notre rivalité était compréhensible.Tous deux, nous abordions l'âge adulte et nous entrions dans les jeux de la société. Mais entre amis, la rivalité peut être néfaste. Subitement, une inégalité, ou ce que l'on perçoit comme telle, s'installe. La route à parcourir demeure. Elle est longue, ardue, mais quand l'un devance l'autre, la séparation intervient et on glisse alors facilement vers le ressentiment. On se croit lâché, abandonné, trahi, victime d'injustice. On justifie alors dans le silence et le non-dit une réaction pernicieuse d'envie. Maintenant, cela semble facile d'analyser ton comportement et le mien. Nous sommes tous deux parvenus au bout de nos routes. Nous avons, chacun, parcouru la notre avec une louable persévérance, même si nous avons connu des échecs et des défaillances.

À l'époque, tu ne m'as rien dit, ni même fait allusion à mon article. J'ai senti ta réaction par l'intonation de ta voix, par la manière dont tu me regardais. Ton attitude avait changé. Nous n'étions plus des alliés, des complices, bref, des amis. Nous sommes devenus des collègues et des rivaux.

Cependant, je n'ai rien perdu à attendre. À la sortie de mon *Vaudreuil*, ta réaction m'a assommé. Je me souviens encore de certaines phrases de ton article. Tu n'y allais pas de main morte : « Un amas insignifiant de faits, un chaos minutieusement documenté. » Aujourd'hui encore, la blessure n'est pas entièrement cicatrisée. Je n'avais fait que recevoir la monnaie de ma pièce; ce que je méritais. Ensuite, nous avons silencieusement décidé de nous éloigner l'un de l'autre, d'ignorer nos livres. Oh oui! Bien sûr! Tu me dédicaçais les tiens comme je le faisais des miens. Comme si, d'un commun accord, nous avions décidé de ne pas rompre, de conserver un lien ténu, mémoire et nostalgie d'une profonde amitié, l'estime prenant la place de l'admiration et de l'accord.

Comment avons-nous fait pour dilapider un capital, un trésor de sentiments et d'émotions? Pourquoi? Pour la vanité des honneurs et les éphémères satisfactions des titres et des fonctions? Aujourd'hui, je peux t'affirmer que ni titre ni pouvoir ne valent la poignée de main d'un ami. Aucune récompense, aucun prix n'équivaut au regard affectueux et complice. Chacun de notre côté, nous avons eu beaucoup de collègues, de connaissances, de disciples, d'admirateurs et nous nous sommes tenus à l'écart l'un de l'autre. Quand on nous interrogeait, nous nous contentions de dire d'un air distant et compassé : « C'est bien ce qu'il fait, moi, je poursuis une autre démarche, d'autres formes de recherches. »

Nous avons perdu le bonheur d'être ensemble, de partager nos inquiétudes, nos émotions, de les voir reflétées dans le visage de l'autre, de les reconnaître dans le miroir de l'amitié. Nous avions peur de nous faire du mal. Quel horrible malentendu! Quelle désastreuse perte! Avec les années, je suis arrivé à la conclusion que jamais je ne connaîtrais de certitude, qu'aucun document, aucune pièce d'archives ne donnent une réponse définitive, de sorte qu'au lieu d'envier ce que

j'appelais tes intuitions, j'admirais ton esprit.
Sans y souscrire, j'étais ému par tes perceptions.
Tant de fois j'ai été sur le point de t'écrire, mais je
m'arrêtais, car je croyais entendre, de loin, ton rire
moqueur et une des exclamations dont tu avais le
secret : « Ma parole, tu deviens sentimental ! »

L'âge, tu le sais, ne pardonne pas. Je scrutais
tes dédicaces et les mots que tu m'envoyais à la
réception de mes livres. Aux dîners officiels, aux
réunions, nous donnions le change : une parfaite
courtoisie. On pouvait même croire à notre constante amitié. Nous évitions de tomber dans l'indifférence. Jusqu'au moment où Marianne et
Clarisse s'étaient affrontées, se substituant involontairement à nous, et ont consommé, dans
l'éclat, notre séparation, creusant une blessure et
la laissant ouverte à jamais.

C'était une semaine après la sortie de mon
ouvrage sur les Amérindiens et la Nouvelle France
qui fut, tu t'en souviens peut-être, un événement
qui a débordé largement le cercle des historiens. Je
t'en avais envoyé un exemplaire et tu m'avais
répondu d'un mot bref, un accusé de réception,
sans même me dire si tu avais l'intention de le
lire. J'en avais parlé à Marianne. Nous traversions
une période difficile dans notre relation, nous en
vivions la dégradation et en pressentions la fin.
En public, nous choisissions le silence et affi-
chions des visages de normalité qui pouvait être
prise pour une inaltérable intimité. Je ne pouvais
pas deviner que Clarisse et toi parcouriez un
identique tunnel.

Le dîner chez les Armand avait bien commencé. On m'avait fait les félicitations d'usage,
dans la neutralité et l'indifférence propres aux

NAÏM KATTAN

collègues. Puis, on s'est mis à parler du discours du premier ministre. À table, nos femmes se trouvaient en face l'une de l'autre. Elles ne se connaissaient pas vraiment et avaient adopté notre relatif silence. Elles se saluaient dans les cocktails et les dîners, s'observaient, se guettaient. Marianne faisait toujours, par la suite, des remarques généralement négatives sur les vêtements de Clarisse.

Ce soir-là, énervée par le bruit fait autour de mon livre et surtout par ma préoccupation excessive pour ce qu'elle appelait mon travail, elle se plaignit dans la voiture de mes fréquentes absences, me reprochait de ne plus la regarder, de me rendre à peine compte de son existence. Elle m'en voulait. Je ne sais pas qui a ensuite déclenché les hostilités, commencé les échanges venimeux et mis la poudre au feu. Clarisse la félicita ironiquement du succès de mon livre. « René n'a pas besoin de moi pour accomplir son travail, éclata-t-elle. J'existe moi aussi et je ne vois pas pourquoi on me félicite pour lui. » Clarisse la traita de snob, d'orgueilleuse. Elle partageait, elle, les honneurs et les bonheurs de son mari.

Des deux bouts de la table, les Armand cherchèrent à changer de sujet de conversation. Les deux femmes, frustrées par leur mari, leur en voulant sans pouvoir manifester leur hostilité, se déchargeaient l'une sur l'autre. C'est à travers les invectives de Clarisse que j'ai appris, ce soir-là, que tu m'en voulais, que notre amitié ne dormait plus sur un terrain neutre, mais qu'elle s'était transformée en un ressentiment tu, contenu tout au long des années, en une hostilité, comme si, nous ayant déclaré la guerre, nous la faisions faire par nos femmes.

J'ai demandé à Marianne d'écrire le lendemain une lettre sinon d'excuses du moins de réconciliation. « Tu n'as qu'à l'écrire toi-même », me rétorqua-t-elle. Je l'ai fait, car je croyais que cela pouvait être l'amorce d'un retour. Rien. Tu es parti ensuite vivre en Europe pour un an et, à ton retour, j'appris que Clarisse t'avait quitté. Et, comme si elles s'étaient donné le mot, Marianne a, elle aussi, fait ses bagages.

Tout au long de ces années, nous n'avions jamais eu une conversation en tête à tête. Une fois, tu t'en souviens peut-être, nous nous étions trouvés seuls au restaurant des professeurs. Nous avons conversé courtoisement, comme des collègues, nous faisant part de nos travaux, puis, comme si nous cherchions un terrain facile d'entente, nous nous sommes mis à pester contre l'administration de l'université, contre les autorités politiques, évitant de faire allusion à nos options qui, à l'époque, étaient divergentes. J'étais sur le point de te dire mes regrets, de te lancer un appel. C'était trop tard ou trop tôt. Aujourd'hui, tu reviens, car je ne doute pas un instant qu'il s'agit bel et bien d'un retour. Je ne peux pas me tromper. Ton mot est si chaleureux, si personnel, comme si tu avais retrouvé les mots de l'amitié, de l'intimité. Puis, surtout, ta présence à la soirée d'anniversaire. Nous nous sommes serrés, enlacés comme de vieux copains, les larmes aux yeux.

Reprenons le fil, repensons aux années passées et plus encore, au présent et au temps qui nous reste. Nous avons pratiquement le même âge. Toute rivalité est futile et, entre nous, était tout simplement absurde, car elle n'avait aucune raison d'exister. Je me mets à rêver aux longues soirées et aux interminables après-midis manqués. Tu aurais lu mes manuscrits et j'aurais lu les tiens. Je t'aurais fait des remarques sur des détails et tu m'aurais mis sur la piste de synthèses nouvelles. Nous nous complétions, nous nous prolongions, et si notre amitié était restée vivante, elle aurait servi la recherche et l'histoire. C'est dommage que nous n'ayons pu nous libérer à temps des impatiences de la jeunesse. Nous sommes tombés dans le piège de la confusion entre la vanité et le travail abouti. Heureusement que dans ton cas et, modestement, dans le mien, celui-ci fut et demeure une réalité. Les vanités et les honneurs passent et se dissipent dans l'éphémère.

Que me reste-t-il de cette soirée ? Des éloges, des phrases qui tombent les unes à la suite des autres. Il y a heureusement les lueurs, les éclats inattendus et souvent inespérés. Je te tendais la main et tu m'as tendu les bras. Je n'oublierai jamais ce rare moment d'intensité. J'attendrai encore quelques jours et te téléphonerai pour que tu viennes partager le repas que je prépare moi-même. Nous boirons à nouveau la même bière d'antan, même si je dois me restreindre maintenant. Nous ne ferons pas allusion aux années perdues, mais chercherons à vivre celles de l'amitié, celles de notre jeunesse et celles qui nous restent. Je te tends la main. Je t'embrasse et attends, dans l'impatience et la confiance, le moment de te voir.

T'ai-je assez dit merci ?

Ton ami,
René

J'ai attendu que les jours passent pour revenir à ces lettres une par une. Celle-ci me semble avoir eu comme auteur un homme tombé au fond de la sénilité. Chercher l'amitié d'Adrien, lui tendre la main! Je suis au seuil du gouffre, je m'enfonce.

Dès notre première rencontre, Adrien m'apparut comme un jeune loup. Je venais de débarquer à Montréal et il était, pour moi, un initiateur. Cherchais-je inconsciemment à le suivre, à l'imiter dans ses calculs, dans la poursuite de ses buts? Je ne connaissais pas encore les miens et je sais qu'en m'entendant, il me rirait à la figure : « Tu ne les connais pas encore aujourd'hui! »

Adrien voulait tout, le poste, la fonction, la hiérarchie, l'argent et la célébrité. Le plus court chemin était toujours le meilleur. Passer des années dans les archives lui semblait le sommet de la candeur, c'est-à-dire un inconscient dévouement. Pour lui, la seule route où il fallait s'engager était celle de la réussite. Monter les échelons, gagner de l'argent, faire parler de lui. Un ambitieux dans le pire sens du mot! Avant que j'en sois moi-même conscient, il avait senti ma réticence, mon refus.

Dans la recherche, les raccourcis me sont toujours apparus comme une escroquerie, une supercherie intellectuelle. La pire. La poursuite du succès et l'appat de l'argent peuvent s'exercer dans tant d'autres champs. Adrien a cru que, dans son propre champ de recherche, il serait sans concurrence, que personne n'aurait l'idée de lui barrer la route, de prendre part à cette course dont il était le seul à fixer les points de départ et d'arrivée. Or, moi, j'avais en plus la figure de *l'étranger, l'intrus, l'innocent qui risquait de jeter la confusion dans son édifice.*

Dès ses premières publications, j'ai mis candidement à nu ses calculs. Ce qui, pour moi, se situait dans les limites d'un débat intellectuel, était, pour lui, une tentative de mise en échec de l'autre, d'une stratégie. Je ne crois pas qu'il poursuivait ses calculs dans la lucidité et le raisonnement. On agit, on fait des pas sur une route selon un tempérament et le sien était maléfique, sournois, brutal. À ses yeux, j'étais devenu un obstacle majeur. Pour sauvegarder sa liberté de mouvement, il lui fallait débarrasser le territoire des gêneurs. La guerre fut vite déclarée, cruelle, impitoyable. Pour lui, le pire était que je n'indiquais pas un autre chemin, une direction parallèle. J'empruntais sa propre voie en affirmant que ma démarche était la plus juste, la plus honnête, même si elle était la plus ardue et la plus longue. Quoi? Moi, l'étranger, le besogneux, j'allais lui interdire l'accès aux postes et à la renommée? Il ne lui restait d'autre choix que celui de m'écraser. Mais il ne fallait surtout pas m'affronter et avoir l'air de me craindre.

La lutte était sourde et systématique. Des rumeurs, des allusions, des suspicions. Pourquoi m'appliquais-je si jalousement à cacher mon origine? De quoi avais-je peur? Si je n'avais pas été un mystificateur, je me serais présenté à visage découvert. Étais-je un musulman natif du Yémen, un arabe libyen? Il ne m'attaquait pas de front. Il faisait allusion, en passant, à ces historiens venus de loin, masquant, pour d'obscurs motifs, leur origine, et qui s'aggloméraient dans une société vulnérable du fait qu'elle était ouverte et accueillante. Puis, sans désemparer, il attaquait plus directement. Il inventait des imprécisions, se donnant le rôle du chercheur sérieux qui réctifiait les erreurs de méthodologie, signalait le manque de vérifications.Le territoire où il exerçait ses ruses était si restreint que personne n'allait mettre en doute ses mystifications. Et puis, qui oserait départager l'étranger et l'enfant du pays, le parasite que personne n'avait invité et l'authentique descendant des valeureux ancêtres dont il racontait l'épopée?

J'avoue que, bêtement, j'ai mis des années à m'apercevoir de ces tactiques méprisables, de ces bas stratagèmes. Ensuite, je n'avais ni la force, ni la volonté de le suivre sur ce chemin. Toutefois, les échos de murmures à peine audibles me parvenaient suivis de mutismes sous les apparences de politesse. Dans ce monde raréfié, on optait tacitement, discrètement pour l'authentique enfant du pays qui, de surcroît, était doublé d'un homme de pouvoir susceptible de dispenser avantages et prébendes. Heureusement pour moi, je passais à côté du feu sans rien voir. Je plongeais tête baissée dans l'opacité des archives.

Professeur agrégé, chef de département, vice-doyen, tu montais les échelons. En même temps, tu sollicitais les honneurs : Société royale, Ordre du Canada, Ordre du Québec. Tu faisais intervenir tous ceux qui pouvaient s'attendre de ta part à un échange de services. Tu ne te gênais pas de les faire miroiter, de les évoquer : des recommandations efficaces pour des subventions de recherche, des invitations à des colloques, à des conférences au Canada et à l'étranger. Tes photos paraissaient judicieusement dans les jour-

naux qui donnaient des nouvelles de tes voyages, de tes déplacements, sollicitaient ton opinion sur les problèmes de société, t'interrogeaient sur l'actualité politique. Tu savais si bien ménager la chèvre et le chou. Tu as affiné l'art de donner l'impression de radicalisme alors que tes attaques étaient dirigées contre des moulins à vent. Tu étais l'iconoclaste prenant violemment position, sauf que personne ne pouvait se reconnaître dans les profils de tes ennemis. Un personnage! Voilà ce que tu étais devenu, et quel personnage!

Dans ton itinéraire, l'Histoire n'était qu'un détail et la recherche un prétexte. Tu m'oubliais, sauf quand je publiais un livre. Tu ne prenais même plus la peine de le démolir dans une note de lecture. Cela t'aurait pris trop de temps, surtout qu'il aurait fallu lire l'ouvrage. Coqueluche des médias, tu profitais d'une interview pour mentionner, en passant, le livre, prenant soin de citer un historien de souche qui avait tout dit sur le sujet avec sensibilité et passion, m'accusant implicitement d'en être dépourvu. Tu louais mes efforts de bénédictin, terme que tu affectionnais me coller, faisant ironiquement allusion à mes origines cachées et suspectes.

Certaines nuits, à la suite d'une âpre dispute avec Marianne ou ayant amèrement subi les insolences d'une Déborah aux prises avec l'insomnie, je maudissais l'université. J'y avais fait mon entrée par amour pour la science, par respect pour la recherche. Je me retrouvais faisant face à de soi-disant amis et collègues, menant une guerre sans merci pour une marque de commerce, des bénéfices calculés en argent. Dans cette arène, on se battait pour un avancement accéléré dans

*l'échelle salariale, ou pour un congé sabbatique,
ou encore pour des os, un voyage, un congrès.
Cela me semblait tellement minable et, surtout,
si éloigné de mon idéal, qu'au cœur de la nuit, je
me demandais où je m'étais fourvoyé et si tout
mon acharnement n'était pas dérisoire.*

*Et voici qu'on s'aperçoit de mon existence et
de ce qu'on veut bien qualifier de mon « apport ».
On me célèbre. Tu n'allais tout de même pas man-
quer la partie. Tu allais y assister pour t'assurer
que, comparé à toutes les cérémonies dont tu fus
le centre, il ne s'agissait que de miettes qui ne por-
taient pas ombrage à ton statut. Tu pouvais parfaitement alors avoir la condescendance de me
féliciter. Cela ne te coûtait rien. Au contraire, cela
témoignait non seulement de ta supériorité, mais
aussi de ta générosité et de ta grandeur d'âme. Et,
pauvre sentimental aux abois, je confondais cela
avec une fidélité à une amitié de jeunesse. Quelle
amitié?*

*À la suite des frasques de ta femme à ce
fameux dîner, je l'ai croisée, par hasard, dans une
librairie. Elle me salua avec chaleur alors que je
me suis contenté de lui serrer la main. Je n'avais
rien à lui dire et je répugnais de servir de récep-
tacle à son amertume. Marianne m'avait appris
que vous vous étiez séparés. Tu n'auras pas de mal
à trouver une autre femme que tu combleras de
cadeaux et qui se mettra au service de ta vanité. Il
ne te reste rien d'autre. Les postes ainsi que les
fonctions aboutissent fatalement à la retraite. Tu
n'as à ton crédit aucun livre qui surnagera à l'indifférence des chercheurs et il n'y aura plus de
thésards qui te citeront par crainte ou par com-
plaisance. Tu es sans doute devenu trop vieux pour*

t'en apercevoir. Vieux! Que dis-je, moi qui sollicite ton amitié! J'en suis au même point que toi et je me demande s'il est question de sénilité avancée ou d'une absence de toute ambition! Après tout, il ne s'agit que de cette étape de la vie où l'on se contente d'un verre de bière même quand il n'évoque q'un relent affadi du goût que pouvait avoir l'amitié. Ce n'est ni cynisme ni pusillanimité. Tout au plus, un moment de lucidité. On n'attend plus grand chose sinon ces moments rares qu'on se donne à soi-même; moments furtifs où l'on peut exprimer une reconnaissance, une gratitude pour ce que la vie nous a, malgré tout, donné. Moments brefs où l'on a besoin d'un témoin, car on n'a pas encore atteint l'âge où l'on se contente de célébrer dans la solitude.

◆

Ma chère Diane,

Je ne sais pas comment commencer cette lettre, tant mon émotion est forte, ambiguë, palpitante au seuil de la violence. Je suis déchiré entre le regret et le soulagement. Vingt-cinq ans, que dis-je, trente ans ont passé et tu es venue. Je t'aurais reconnue entre mille par l'éclat de ton regard, la générosité de ton sourire. C'était bien toi, ce visage enfoui dans ma mémoire tout au long des années, dans l'opacité et la transparence, qui remontait périodiquement à la surface, nostalgie d'un bonheur rêvé et douleur d'un retranchement, d'un retrait diffus dans le manque.

C'est par hasard que j'avais lu dans le journal l'avis de décès de ton mari et pris note de ton adresse. Tu habites Boston. Nous sommes voisins. Si je ne t'avais pas envoyé un mot de condoléances, c'est pour ne pas te paraître hypocrite ou, pire, indifférent. Je t'avais fait envoyer l'invitation et quelle ne fut ma surprise de recevoir ta lettre suivie de ta bouleversante apparition. Je dis bien apparition. Tu dissipais, sans le savoir peut-être, une grande douleur et tu illuminais non seulement le présent, mais bien plus, le passé.

Après ton départ, j'ai, pendant des années, vécu dans le sombre. Quand nous nous sommes revus il y a plus de vingt ans, peut-être vingt-cinq ans, car je perds parfois la notion du temps – et en cela, comme tu vois, je n'ai point changé –, je t'ai trouvée triste, désemparée. Je n'ai appris que des années plus tard que tu n'étais pas heureuse, que ton mari t'avait pratiquement abandonnée et, surtout, que tu souffrais de ne pas avoir eu d'enfants. Je cherchais alors moi-même mon chemin, dans le noir de la solitude, et il ne me serait pas venu à l'esprit de te rejoindre pour te consoler, car j'aurais eu l'impression de prendre un détour pour te demander secours. J'obéissais, bêtement, à la promesse que je m'étais faite de ne plus jamais t'importuner.

Ensuite, je me suis reconstitué, ai refait ma vie. Je devrais plutôt dire que je l'ai faite. Je me suis marié, ai eu une fille – qui était dans la salle lors de la soirée – et ai traversé tout le parcours de ma profession. Tu as même entendu des personnes qui décrivaient ma vie comme une réussite. Mais je voudrais revenir à New York et à notre rencontre inopinée d'il y a vingt ans. Alors que ton mari distribuait sourires et poignées de main, tu restais dans un coin et, m'apercevant, tu es accourue vers moi. Nous avons quitté la galerie, longé Madison Avenue et nous nous sommes retrouvés à Central Park. Je n'avais pas encore quitté ma femme, ou plutôt, elle n'était pas encore partie. Dans un moment de folie, j'ai cru que tout allait recommencer entre nous, non pas un nouveau départ, mais un commencement. Je n'osais pas croire à un tel bonheur et une voix, du fond de mon esprit, me rappelait à l'ordre. Tu étais encore avec ton mari et je n'étais pas vraiment libre.

Nous avons parlé de choses et d'autres, faisant, à bâtons rompus, les bilans de nos vies. Tu vivais sur je ne sais quelle île, entre Londres et la Grèce. Tu accompagnais ton mari qui était reconnu, célébré, et tu te tenais à l'écart. Sur le chemin de retour à la galerie, nous étions joyeux, gais. Je bénissais le hasard. Je m'étais arrêté devant cette galerie en apercevant la foule. J'étais à New York pour consulter des sources secondaires à Columbia. Nous étions sur le point de nous quitter et reprendre chacun notre chemin, mais la question me brûlait les lèvres, m'empêchait de respirer. Si je n'avais pas eu le courage de t'interroger, je n'aurais jamais rien su. Que s'était-il passé à la fin de ce merveilleux été à Montréal en cette année de notre jeunesse ? Tous deux, nous étions assistants ou, je ne sais plus, chargés de cours ou moniteurs à McGill. Nous faisions la conversation aux Américains et aux Ontariens qui venaient y apprendre le français et, évitant les regards et taisant les bruits, nous nous retrouvions nuit après nuit dans nos chambres. Je t'aimais. Tu étais le premier, le grand amour et tu répondais à chacun de mes gestes, réagissais à chacun de mes mots. Et puis, tu es partie. Je n'ai pas compris. Tu es rentrée à Québec dans ta famille et, quelques mois plus tard, tu as trouvé un emploi à Ottawa.

Que s'était-il passé ? Tu refusais de t'expliquer et tu ne voulais plus me voir. Ce ne pouvait pas être à cause de ton mari, puisque tu étais encore seule. Et là, devant la galerie, toute surprise, tu as répété ma question : « Que s'était-il passé ? Rien. Nous nous sommes quittés, me répondis-tu, d'un commun accord, en bons termes, en amis. » Ce n'était donc que cela le grand, le premier amour ? Une aventure de jeunesse, une rencontre de vacances ? Pourtant, à l'époque, à McGill, tu m'avais dit et répété que tu m'aimais. Vingt ans plus tard, tu niais négligemment mon existence. Je n'étais qu'un copain d'été, un ami de hasard. C'était plus qu'une mauvaise surprise, c'était un horrible choc.

Pour moi, rien n'était fini et, en traversant avec toi la Cinquième Avenue, j'avais le sentiment que rien n'avait encore commencé. Mais toi, non seulement tu avais tué mon amour, l'avais assassiné, mais vingt ans plus tard, tu l'effaçais. La deuxième blessure fut pire que la première, car elle éliminait, d'un coup, des années d'espoir et d'attente.

Nous nous sommes promis de nous écrire et tu m'as envoyé une carte pour la nouvelle année, mais je n'ai pas trouvé la force d'y répondre. Le gouffre qui avait avalé mon amour était béant et je n'arrivais pas à tourner le dos et passer mon chemin. L'année suivante, de nouveau, une carte. Tu avais inscrit mon nom sur ta liste de connaissances. Je n'avais pas vraiment existé pour toi. Je n'avais été qu'un passage. Peut-on se tromper si lourdement, gager toute une existence d'attente sur une illusion, à peine moins éphémère qu'un caprice ?

Je ne sais pas ce qui m'a pris de donner ton nom pour ma soirée d'anniversaire. Tu étais là, lumineuse, dans la plénitude de ta beauté. Une vieille femme, m'as-tu dit, qui n'était même pas parvenue à devenir mère. Je reviens de nouveau à cet été de splendeur et de gloire de notre jeunesse. Nous nous étions quittés avec la promesse de nous revoir aussitôt que tu serais rentrée de Québec. T'ont-ils éloignée de moi à cause de mon origine ? Je ne peux pas le croire, car tu as épousé un Américain aux racines aussi lointaines. T'ont-ils mise en garde contre un homme qui ne gagnait pas encore sa vie ? Nous étions si jeunes ! Et puis, ton mari a lui aussi passé de longues années dans le désert de l'anonymat et les rigueurs de la pauvreté. À New York, tu m'as dit, comme en passant : « Ne nous attendrissons pas sur le passé, car ce qui compte, c'est le présent et l'avenir. » Comment vivre le présent avec une blessure dont on ne reconnaît pas l'existence ? Un coup de destin absurde. Pourtant, après ton retour à Québec, tu étais bien là, au bout du fil, et tu t'esquivais, tu refusais de me répondre.

Tout autant incompréhensible, inattendue, fut ta présence à la soirée. Je sais, tu me dirais que ce qui importe c'est que tu fus là, contente d'être présente à la fête. Tu m'as brutalement demandé si j'étais content de te voir. Justement, Diane. Je ne commence pas ma vie, je la termine. Je crois encore une fois t'entendre, sous l'ardent soleil de McGill : « Nous renaissons chaque instant à notre vie. » C'étaient l'inextinguible soif de vivre, l'immense appétit et l'insatiable sensualité. Je t'ai tellement aimée, tellement désirée! Tu vas me rire au visage. « Et maintenant, désires-tu encore la femme aux cheveux gris? Qu'est-ce que tu attends? » Ce n'est pas si simple, Diane. « Justement, dirais-tu, nous n'avons plus de temps pour les complexités et les analyses, il ne nous reste que des heures de limpidité, si nous savons les saisir et ne pas les laisser bêtement s'envoler. »

Je t'assure que je vis des heures illuminées par la gratitude. Je ne rêve pas et ne me trompe pas. C'est bien toi qui étais assise au fond de la salle. Le temps, subitement, a disparu et le jeune homme est rené, tendant la main à la femme qui lui a appris à boire à la source. Tu m'as dit, en partant, que tu habitais une grande maison au bord de la mer, que je pourrais te rendre visite. Moi aussi, j'occupe un joli appartement où tu pourrais séjourner, quand tu le voudras, le temps que tu souhaiteras. Il faut seulement attendre un peu. La blessure finira peut-être par se cicatriser. Tu sauras peut-être trouver les mots qui me permettront de me réconcilier avec mon passé et mes rêves.

Aujourd'hui, c'est la femme aux cheveux gris que je voudrais deviner. Nous n'avons plus le loisir de faire des déclarations. Qui sait, peut-être, me diras-tu enfin ce qui s'était passé cet été-là? Ce serait enfin le repos, une paix qui comble dans une infinie promesse.

Je vais attendre encore. Le temps de mettre mes papiers, ma correspondance et mon esprit en ordre et je te téléphonerai. Tu as mon numéro et tu peux appeler à toute heure.

Je termine en te prenant dans mes bras et en t'embrassant. Je n'espère plus faire revivre le passé. Au moins, pourrais-je affirmer ma fidélité aux heures privilégiées des promesses. Ce serait ma manière de refuser le leurre.

René

J'ai tellement désiré Diane. J'étais, certes, jeune, mais cela n'explique pas tout. Je savais, dès que je la touchais, que je ne pourrais pas passer ma vie avec elle. Pour elle, ce n'était qu'un amour de vacances et elle ne concevait pas, n'envisageait pas d'avenir avec moi. En la regardant, le soir de la cérémonie, un frisson m'a traversé. Mémoire d'une frustration, d'une fusion ratée? Elle n'était pas belle. Un nez épaté, une grande bouche comme dépareillée par de petites dents, de petits yeux enfoncés dans leur orbite, et en dépit de cela, quel éclat!

Je t'ai tellement attendue, Diane. Si, comme tu le disais, tu m'aimais, tu aurais pris le train, fait de l'auto-stop pour venir m'arracher à mes parents. Tu as rêvé, un effet de l'âge, et tu avais besoin de la distance pour me hisser à la hauteur de ton imagination. Et puis, ce n'était même pas cela, car c'était bien plus banal.

Pour échapper à ton emprise, je me suis mis en chasse. Edmonde, Marguerite, n'importe laquelle, pour une semaine, un mois. Dans ma tête, j'avais construit une idée de la liberté qui bloquait la voie à l'amour. Au premier refus, au moindre obstacle, je bifurquais, changeais de chemin. Si j'ai, plus tard, persévéré avec Marianne, c'est qu'en la touchant, je ne ressentais pas de frisson. J'étais libre, concluais-je, de la quitter et de partir sans laisser d'adresse. Mauvais calcul. Stupide. Car ce fut elle qui m'a fait le plus souffrir. S'était-elle évertuée à me faire payer mon désir qu'elle a réussi à domestiquer ? Dans la rue, elle surprenait mes regards d'affamé sur la première cuisse, les premiers bras dénudés.

J'ai connu quelques femmes dans ma vie. Mais à quoi bon revenir sur tout cela ? Elles furent beaucoup trop nombreuses pour mes capacités, mes besoins et mon souffle. Chacune d'elle était un filet de protection pour une autre. Si Chantal partait, le recours à Thérèse, Nicole ou Maud était amorcé, mis en branle. J'encombrais mon esprit de relations futures, ce qui m'empêchait de vivre, sans crainte et sans calcul, toute relation. Je ne m'engageais jamais.

Souvent, je me cherche des excuses. Je me dis que je n'ai jamais été totalement à l'aise dans ce pays dont j'ai, pourtant, choisi l'histoire comme occupation vitale, quotidienne. J'étais sincère dans ma démarche et mes gestes, mais les coups ne dépendaient pas de moi, ils m'étaient assénés de l'extérieur. J'ai changé de ciel et de terre tant de fois. J'avais l'impression qu'à tout moment, on pouvait me mettre à la porte. Ainsi, dans l'histoire, le passé, surtout qu'il n'était pas le mien, me paraissait solide, vrai, et personne ne pourrait me l'enlever. Mes parents étaient en perpétuelle perte de pays. Mon père assistait à la malchance de ceux auxquels le pays était donné à la naissance et qui n'en prenaient pas possession. M'a-t-il involontairement inoculé la malédiction de croire que tout sol est mouvant et qu'on ne vit que dans l'éphémère ?

Je ne fais que chercher des excuses pour t'avoir quitté, Diane. Tu t'attendais que j'aille à ta recherche. Mais il y avait notre âge et l'époque que nous vivions. Si, aujourd'hui, nous étions plus jeunes, nous ferions l'amour avec appétit, avec le poids des sentiments, l'assurance d'un avenir, et nous ne chercherions plus un partenaire dans la poursuite du plaisir, un associé pour échapper à la solitude, mais le plaisir lui-même, dans une présence inconsciente et totale. Mais le temps a gagné et nous retombons dans notre histoire dont nous sommes devenus les archéologues. Des rappels nous donneront momentanément l'illusion d'un retour, d'une reprise. Mais, comme tu le vois, je suis gagné par ce besoin de rêve, cette échappée dans l'ombre, alors que nous sommes là, de tout notre corps. Peut-être n'ai-je pas confiance dans le mien, que j'en redoute les défaillances.

A-t-on toujours besoin de s'expliquer? Ma lettre, ne disait-elle pas, dans des mots à peine discrets, mon désir? Même s'il devait demeurer sans lendemain, je suis heureux de le ressentir. Tu es bel et bien venue. Et, après tant d'années, ce n'était ni rêve ni quête d'évasion.

✦

Mon cher Jacques,

J'ai reçu ta lettre et je me réjouissais de te revoir après tant d'années et voilà qu'un mot m'apprend que, retenu par la maladie, tu étais dans l'impossibilité de te déplacer. Quel surprise de recevoir ton cadeau, le lendemain de la soirée!

Et quel cadeau! Tu as dû longtemps y penser à l'avance. Faire relier mon *Montcalm*! Un exemplaire lu et annoté. Quelle émotion de te sentir si attentif, si proche. Non que j'aie un instant douté de ton affection et de ton amitié. Tu es, certes, mon cousin, le seul avec lequel j'ai un véritable rapport et le lien familial n'empêche pas l'amitié. Dans notre cas, celle-ci a subsisté à l'ombre de la famille.

Dans ta lettre, tu dis que désormais nous sommes égaux, car, comme moi, tu es seul et désargenté. Égaux dans la solitude, assurément. Par contre, je ne comprends pas bien le terme désargenté. J'ai même dû recourir au dictionnaire. Manie d'historien. Pour ma part, je ne suis pas pauvre et je peux même dire que je suis à l'aise. Comme je n'ai jamais eu beaucoup d'argent, je ne peux pas être désargenté. Quant à toi, tu as encore la même adresse à Ottawa avec le même numéro de téléphone. Il est possible que tu aies perdu à la bourse, que tu aies eu des revers de fortune, mais désargenté? Toi? Je ne peux pas le croire. Tu n'as sans doute plus les capitaux et les revenus d'antan, mais tu n'es sûrement pas sur la paille.

Enfant, on te citait comme un exemple idéal d'habileté, de débrouillardise, de savoir faire. Tu avais la réputation d'un magicien à qui tout réussissait. Quand, plus tard, tu as devancé tout le monde dans le commerce des ordinateurs, ta célébrité n'a fait qu'augmenter. Le succès t'accompagnait dans toutes tes entreprises et tu commençais à accumuler les dollars par milliers puis par millions. Tu es devenu fabuleusement riche.

Au cours de tes années d'ascension, alors que tu allais de victoire en triomphe, j'étais, quant à moi, plongé dans d'obscures recherches et, même quand j'atteignais un but, quand un livre attestait mes efforts, l'argent ne coulait pas à flot. On ne manquait pas de me le faire remarquer. Les exclamations de ma mère, puis de ma femme sur ta fortune n'étaient, en fait, que des critiques déguisées à mon endroit, voire des reproches. Sans en saisir la pertinence, mon père a toujours approuvé mes choix, alors que ma mère attendait que son fils accomplisse la grande promesse de l'Amérique. Quitter New York, ville à laquelle elle ne s'était jamais adaptée, mais qui demeurait pour elle le lieu de tous les possibles, pour me consacrer à une entreprise sans avenir dans une ville quasi voisine, lui paraissait incompréhensible sinon absurde. Mais, enfin, je ne revenais jamais chez moi les mains vides et ni ma femme, ni ma fille, ni moi n'étions habillés comme des personnes dans le besoin.

Mais toi! Ta mère ne cessait de décrire tes voitures, tes villas, les bijoux que tu offrais à ta femme. Bref, tu logeais à une autre enseigne, sur une autre planète. Au début, je tentais de m'expliquer. Ta voie n'était pas la mienne. Après tout, je gagnais bien ma vie et ma famille ne manquait de rien. Je n'avais pas besoin de Cadillac et ma femme pouvait se passer de diamants. Mais, à force de parler d'argent, j'entrais dans le jeu et finissais par chercher à me justifier avant de m'excuser.

Tu as pu croire – ce fut certainement le cas de ta femme – que je méprisais ta réussite, que j'étais hautain et que je te traitais de vulgaire marchand. Jamais je n'ai porté de tels jugements à ton sujet ct il ne me venait pas à l'esprit de porter quelque jugement que ce soit sur toi. Comprends-moi. Je n'ai strictement rien contre les riches, les millionnaires, mais je n'appartiens pas à leur monde, je ne fais pas partie de leur univers. Je lui suis même indifférent. Je me place ailleurs. Je condamne, bien sûr, les escrocs, mais fustige encore davantage ceux de l'esprit et de la science. Si je m'abstenais d'assister à tes réceptions, c'est que je n'avais rien à dire à tes invités. Je croyais sincèrement que je ne devais pas leur faire subir ma présence et surtout mon silence, car à leurs yeux, et encore davantage aux tiens, il pouvait être pris pour une marque de snobisme. Même si elle cherchait à m'accabler, ta femme l'avait bien compris. En effet, Viviane ne m'a jamais accepté. Je ne dis pas aimé, car qui peut prétendre forcer les sentiments? Elle a cependant dépassé les bornes quand elle m'a accusé, devant ma femme, d'envie. Quand je la voyais je ne pouvais plus me contenter de mettre son comportement sur le compte de l'indifférence, car son hostilité rentrée se manifestait par une franche animosité.

Toute ma vie, j'ai évité les affrontements inutiles, c'est pourquoi j'ai préféré ne plus la voir. Notre rapport s'est envenimé quand j'ai senti – peut-être était-ce le produit de ma débordante imagination comme n'a cessé de le répéter Marianne – que la situation était devenue impossible, quand ma femme sembla s'aligner sur les folles accusations de Viviane. Ce n'est que bien plus tard que j'ai compris que c'était le début de la guerre. On en était aux escarmouches. De ton côté, tu as dû constater le même phénomène.

Viviane ne supportait pas notre amitié et cherchait par tous les moyens à nous éloigner l'un de l'autre. Marianne, qui tentait de prouver que je ne m'entendais avec personne, était une alliée toute naturelle. Souvent, j'ai eu la tentation de t'appeler, de te proposer de te voir en tête à tête pour vider nos sacs.

T'envier, moi? Comme si je rêvais de vendre des ordinateurs. Vendre. À peine si je parviens à défendre mes travaux. Encore là, je ne cesse d'en souligner les limites. J'évite comme la peste les termes de révélation, trouvaille, découverte. Je répète que les documents sont là et que je n'ai fait que les consulter.

Chaque fois que j'apprenais que tu avais réussi un nouveau coup, je me réjouissais pour toi. Je reconnais ton intelligence, ton habileté. Qui suis-je pour mépriser qui que ce soit? L'histoire m'a appris qu'il n'existe de figures d'hommes et de femmes que contradictoires, ambiguës. En expliquant les escrocs et les criminels, je ne leur octroie aucune légitimité. Je les analyse. Je crois en une éthique qui donne le droit de juger le passé. Ce serait trop facile de me plonger dans des préoccupations professionnelles pour éviter d'aborder des circonstances précises de ma propre vie. Aujourd'hui comme hier, je respecte tes succès. Ils ne se situent pas dans le domaine où je place mes hiérarchies et je me rebiffais quand ta femme ou le mienne jetaient la confusion dans ces hiérarchies. Ainsi, le meilleur chercheur n'est pas celui qui gagne le plus d'argent ni même celui qui obtient le plus de titres et d'honneurs.

Je reviens à cette alliance entre Marianne et Viviane. À présent, nous pouvons en parler

librement, à cœur ouvert. Cela fait assez longtemps que nous sommes séparés de nos femmes
pour qu'on puisse aborder leur lien sans en ressentir la blessure. Marianne te présentait comme
l'exemple du mari généreux qui n'avait pas
besoin de compter et Viviane, me dis-tu dans ta
lettre, me qualifiait, ô quelle surprise, de mari
présent et attentif. Ce serait si facile, aujourd'hui,
d'être injuste envers Marianne. Elle décrit nos
années d'apprentissage comme des années de
passion, avant que notre mariage ne tombe dans
la banalité et la routine, période que je considérais
comme celle de la vraie nature de la vie de
couple : un quotidien sans heurts, sans histoire. Je
me rends compte maintenant que ces années
furent, pour l'historien que j'étais, fastes, riches,
mais aussi remplies d'angoisse, d'attente et de
doute. J'avais des moments d'exaltation, de bonheur dont Marianne était absente. Elle poursuivait
sa propre vie, pour ne pas dire sa propre carrière,
et n'y trouvait pas de satisfaction. La naissance de
Déborah lui a fait oublier tout le reste.

L'adolescence de notre fille a coïncidé avec
mes années les plus fastes. Livres, récompenses,
multiples invitations. J'étais partout sauf à la maison et, au retour d'une tournée de conférences, je
ne parlais que de la sortie de mon prochain livre et
du périple suivant. « Et moi ? » réclamait
Marianne, et Deborah lui faisait écho. Quand il
m'est arrivé de les emmener avec moi, elles
étaient réduites à des promenades solitaires quand
elles n'étaient pas confinées à l'hôtel. Et, de plus,
elles ne s'entendaient pas. Marianne refusait
d'assister à mes conférences. Elle était suffisamment au courant de mes écrits, prétextait-elle,

même si, les derniers temps, elle se contentait de feuilleter mes livres.

Je préférais voyager seul et il m'arrivait de passer une journée ou deux sans appeler chez moi. Je suis convaincu que si Marianne, citant Viviane, m'accusait d'envie, c'est qu'elle se sentait coupable d'éprouver un tel sentiment à mon endroit. Elle se croyait exclue de ma vie et chacun de mes travaux ajoutait une pierre au mur qui s'élevait entre nous. Peut-être avais-je échoué à la faire participer à mes émotions, à mes exaltations, de crainte de l'accabler, en même temps, de mes doutes et de mes inquiétudes. Elle n'était plus le centre de ma vie, mais l'avait-elle jamais été ?

Comme tu vois, je ne me réserve pas le beau rôle. J'aurais préféré continuer à vivre avec Marianne, mais elle ne pouvait pas se contenter, disait-elle, d'un ami qui partage la maison. Elle voulait un mari, un homme à elle. C'est cruel de l'avouer : elle me dérangeait dans mes travaux. Le pire, c'est que je pouvais parfaitement me passer d'elle. Je n'en avais nul besoin. C'est alors qu'elle a construit tout un édifice à propos de Nadine. Tu m'as un jour aperçue en compagnie de cette jeune femme dans un restaurant et tu as sans doute cru, toi aussi, que je vivais un nouvel amour. Nadine n'était alors que mon assistante de recherche. Française d'origine, seule à Montréal, elle s'était passionnée pour l'histoire de la Nouvelle-France. Il m'arrivait, je l'avoue, de l'embrasser quand nous nous quittions, mais il ne me serait pas venu à l'esprit d'aller plus loin. Elle était à peine plus âgée que ma fille. Je m'occupais d'elle, de son confort, de son bien-être plus peut-être que ne ferait normalement un professeur. J'étais très flatté par son admiration et encore plus par son dévouement. Deux ans plus tard, elle m'a quitté et a épousé un jeune médecin. Quelques mois plus tard, Marianne est partie. « Tu as quitté la famille pour cette traînée ! » s'écriait-elle. C'était le comble de l'absurde. Quand je lui interdisais d'insulter mon assistante, cela ne faisait que confirmer ses soupçons. « Comme tu la défends. On voit bien que tu l'aimes. » C'était infernal. Le mariage de Nadine n'a rien changé. Pour justifier son propre départ, elle m'accusait d'avoir tout manigancer pour la voir en secret, à loisir.

Deborah ne m'en a jamais parlé, même si elle était sûrement au courant. Je sais que Viviane attisait le feu, car elle aussi cherchait un prétexte pour te quitter. Tu la négligeais, se plaignait-elle, tu la couvrais de cadeaux, mais ne la regardais plus. Elle en était venue à te reprocher ta richesse. Je ne connais que par les bribes que me rapportait Marianne, ce que je qualifierais, ta triste mésaventure. « Tous les hommes sont pareils, triomphait-elle, des menteurs. » Je ne veux pas revenir sur ce qui, pour toi, aura été malheur et douleur.

Comment as-tu vécu ces dernières années ? Tu n'as sûrement pas accepté cette solitude forcée. Tu me dis que tu as perdu ta fortune et que ta santé décline. J'espère que tu ne souffres que de cette maladie dont nous souffrons tous : le passage des années. À ce stade de notre vie, il ne nous reste qu'une liberté : celle de nous interroger. Avons-nous été fidèles à nos rêves de jeunesse ? Je ne parle ni des circonstances ni des obstacles, mais de cette lumière intérieure, de cette lueur qui tout au long des années inspirent nos actes, conduisent nos pas. Que tu aies eu des revers de fortune, ce ne peut être qu'accidentel. Peut-être, qu'après tout, tu n'as pas vraiment couru derrière l'argent, peut-être que celui-ci ne fut qu'un signe, la marque d'un autre besoin, d'une autre quête. Je suis prêt à le croire et, en tous cas, je le souhaite. Dans quelque domaine que ce soit, la réussite, le succès n'ont de sens que s'ils indiquent une fidélité à un rêve. Les nôtres ne furent pas identiques, mais, et c'est en cela que nous nous ressemblons, nous avons tenté de ne pas les trahir. Je crois que je peux l'affirmer en ce qui me concerne et je souhaite qu'il en soit de même pour toi.

Dans les jours qui viennent, je vais être occupé par les suites à donner à l'anniversaire. Je pourrai souffler ensuite. J'aimerais beaucoup alors que nous puissions nous asseoir, reprendre nos verres de bière et parler non pas du passé, de nos manques, de nos déconvenues ni de nos succès, mais du dernier film que nous avons vu, de la dernière émission de télévision qui nous a fait plaisir. En attendant, je te tends la main et te remercie de nouveau.

À bientôt.

René

Je n'ai jamais compris la vraie nature de ma relation avec Jacques. Je le décris comme cousin et c'est une exagération. Il l'est par extension : son grand-père et ma grand-mère furent cousins. Son père avait quitté Alep, et s'installa d'abord à Edmonton où un groupe de Syriens, musulmans et chrétiens, avaient immigré. Obtenant un poste de fonctionnaire, il a vécu à Ottawa. Nous nous sommes retrouvés – à vrai dire connus – à mon arrivée à Montréal. Ma mère me donna le nom de son «cousin», faisant surtout état de son fils génial. Millionnaire à trente ans, Jacques était une légende.

Notre première rencontre scella une amitié qui dura tant que nos femmes n'étaient pas entrées en scène. Jacques avait besoin de moi autant qu'inconsciemment, j'avais besoin de lui. Si je cherche à décrire lucidement la nature de notre rapport, c'est d'abord pour clarifier, à mon propre bénéfice, des points obscurs de ma vie.

J'avais plaisir à faire allusion, devant des inconnus, à mon cousin millionnaire de Toronto. C'était avant qu'il ne rejoigne ses parents à Ottawa. Cela me donnait l'impression d'avoir des liens avec le pays, surtout des liens qui n'étaient pas défavorables. Je prenais, certes, soin de signaler avec condescendance et une pointe de mépris que nous ne cheminions pas dans les mêmes voies. Cependant, un millionnaire impressionne, même la gent universitaire, et j'irais jusqu'à dire que, pour une catégorie d'entre eux, cela donnait un semblant de réalité à mes origines obscures et incertaines.

Pour Jacques, j'étais une caution et une marque d'honneur. Son grand père, disait-il, était rabbin – pure invention – et son cousin, un célèbre savant que les Canadiens étaient allés chercher chez les voisins pour les renseigner sur leur propre histoire. Il n'était donc pas un simple ramasseur de dollars.

Dans les rares occasions où j'avais un rapport avec des membres de ma famille, aussi éphémère fut-il, je devais, malgré moi, faire état de mon lien à l'argent. À des personnes avec lesquelles je n'avais que des contacts passagers, j'étais forcé d'étaler mon statut, c'est-à-dire ma position dans la hiérarchie, et je n'avais nulle possibilité de me vanter ni de ma richesse ni de mes fonctions. Je n'étais pas dans le besoin, mais comment prendre la mesure de celui-ci ? Pour l'argent, rien de plus facile. Je n'appartenais pas au monde où Jacques jouissait de tous les loisirs d'exhiber des signes de la fortune : maison, bijoux, voiture... Le discours ne s'arrêtait pas là. Je répétais que je me plaçais ailleurs. Or, cela ne m'accordait pas de qualités, pire, cela ne me donnait pas d'excuses. Quant à la hiérarchie, il était évident que je n'en gravissais pas les échelons. Professeur j'étais, professeur je demeurais. Ni doyen, ni recteur. Les années passaient et j'étais au même point.

Autour de moi, des collègues se comparaient avec leurs copains de classe. Dans leur village, leur quartier, ils sont parmi ceux qui ont grimpé en haut de l'échelle. Mais moi, je n'avais ni village ni quartier. Je n'étais de nulle part et ne pouvais me mesurer à personne. Il était normal que tel professeur obtienne des grades dans son pays, parmi les siens, alors que, moi, un intrus, je cueillais ce qui était à ma portée, j'arrachais mes biens et n'avais qu'à exprimer ma gratitude, dire merci. Je n'étais de nulle part. Jacques, quant à lui, était un Canadien, un Américain. À lui l'Amérique. Il était normal qu'il y fit fortune.

Mon père me demandait discrètement comment mes livres étaient accueillis. Il avait vite cessé de faire allusion aux ventes et aux bénéfices. Ma mère s'inquiétait de ma compagne et de ma fille, m'interrogeait sur mes futurs enfants.

Cette soirée de célébration flottait dans l'ir-réel. Où était cet homme dont on chantait les mérites ? Il surgissait de l'ombre et y retournait aussitôt. Pour tous, il était perpétuellement l'homme de l'ailleurs et, de surcroît, il n'était pas de maintenant. Ni d'ici ni de maintenant, il était irréel et condamnait les autres à l'irréalité.

Dans mes rapports avec Jacques, les femmes n'étaient, en fait, qu'une incidence. Il n'est jamais entré dans ma vie, car celle-ci était sans portes et sans issues. Nous mangions, fêtions en nous aban-donnant à des plaisanteries de collégiens. Gamins attardés, il ne nous était pas donné de nous mettre nous-mêmes en jeu. Je m'efforçais de ne pas recourir au hasard, de ne pas y croire, moi l'es-clave du document et de l'archive. Aucune place pour le jeu. Je quémandais alors les occasions fortuites où un repas, une bière tiendraient lieu d'un retour à la rue d'enfance, au village de la jeunesse, bref, à une famille imaginaire.

Ai-je vraiment besoin de ce semblant de réa-lité ? Et tous ces discours remplaceraient-ils jamais la réalité ?

◆

Chère Marianne,

Je t'écris pour te remercier d'abord d'avoir assisté à la soirée de mon anniversaire. Tu es arrivée après que les discours eurent commencé et je ne pouvais pas quitter l'estrade pour te saluer. Je t'ai fait signe et tu m'as répondu, et puis, subite-ment, au milieu d'une allocution, tu es partie, disparue. Je guettais ton retour, mais tu avais bel et bien quitté la salle. Loin de moi l'idée de te demander des explications. Cela fait bien longtemps que je ne te comprends pas et que j'ai abandonné tout espoir de le faire. Cela fait bien des années que je n'ai de tes nouvelles que par bribes. Et tout à coup, te voilà en chair et en os, élégante, habillée pour une grande sortie. Tu n'es pas passée inaperçue et plusieurs invités qui nous ont connus comme couple t'ont remarquée, m'ont fait, en prenant des précautions, des allusions à ta présence.

Ainsi, tu es venue. Je sais ce que tu m'aurais dit. Tu avais reçu une invitation et n'avais fait qu'y donner suite. Pas une seconde je n'ai hésité à t'inclure dans la liste des invités. L'idée des organisateurs de la soirée était de réunir tous ceux et celles qui ont partagé mon existence, participé à ma vie, compté dans ma pensée et mes sentiments. C'eut été impensable que tu n'y sois pas, une trahison non seulement envers toi, mais envers ma propre vie. Je ne m'attendais qu'à moitié, je l'avoue, à ta présence et j'ai ressenti les mêmes émois que ceux qui ont jalonné notre vie commune. Tu es partie en provoquant une semblable déception, le même étonnement que celui qui avait fini par désagréger notre union. Si je te demandais pourquoi, tu me répondrais comme d'habitude, en toute bonne conscience, que tu ne calcules pas tes gestes, que tu obéis, dans la sincérité, à tes sentiments profonds et que tu t'éloignes de tout ce qui peut te faire glisser dans l'inauthenticité. Tu aimais ces vocables même si le sens que tu leur en donnais variait selon les situations et les circonstances.

Il n'y plus rien à régler entre nous et notre mariage est mort dans une lente dissolution.

J'avais tâché, avec persévérance, d'en ramasser les morceaux. Mes efforts ne furent pas efficaces. Peut-être, comme tu me le reprochais, n'étaient-ils pas sincères, qu'il y entrait trop de calcul, de volonté. Longtemps, je me suis interrogé sur nous, comment nous nous sommes unis et comment nous nous sommes quittés. Pendant des années la blessure fut vive et a laissé jusqu'aujourd'hui des cicatrices.

« On s'explique, disais-tu, quand les sentiments sont morts. » Tu te moquais des femmes qui se plaignaient de leur mari silencieux. Le tien était le maître de la parole, un as de la communication et de l'échange. Mais cela n'a point fait survivre notre relation. Quand ils ne sont pas superflus, les mots ne sont pour toi que décor, des instruments plus faits pour masquer, dissimuler que pour dire et révéler. Paradoxalement, après tant de violences verbales, de déconvenues, j'en suis venu à la conclusion que, n'étant pas douée pour la parole, aux prises avec une constante difficulté avec les mots, tu as tourné ce défaut, ce manque en un avantage. D'ailleurs, tu as toujours eu tendance à transformer tes incapacités en vertus et, pour te confirmer dans ta supériorité, tu réduisais les qualités des autres, en l'occurrence ma facilité avec les mots, en pièges et, dans mon cas, en mensonges, en subterfuges, en voies d'évasion.

Tout au long des vingt ans de notre vie commune, nous n'avons pu avoir de conversations que sur des événements qui ne nous touchaient ni l'un ni l'autre ou sur des personnes avec lesquelles nous n'avions pas la moindre intention de nous lier. D'ailleurs, pourrions-nous compter sur les doigts de la main, les amis que nous avons eus ?

Tu étais douée d'une irrépressible propension à éliminer toute possibilité d'affection et d'intimité.

◆

La nuit a passé et je reprends cette lettre. J'ai soudain eu hier le sentiment que je glissais sur une mauvaise pente. En me relisant, je devine ta réaction : je souffrirais de ressentiment, d'une rage rentrée, d'une colère refoulée... Tu aurais sans doute raison. Avant de dormir hier, j'étais revenu à notre rencontre, à nos premiers moments, notre exaltation et j'utiliserais un mot que tu avais toujours tendance à repousser : notre amour. Je nous vois encore, toi, une jeune fille dans la plénitude de sa beauté, dans une entière possession de son corps, inconsciente, joyeuse. Tu ne partais pas à la conquête du monde, car celui-ci t'était donné. Tu l'as reçu, soumis à ta volonté, sans effort, comme par inadvertance. Tu étais belle et on te le disait. Cela ne te flattait pas. Tu avais une tranquille assurance de ta présence dans le monde. Tu entrais dans un salon, les yeux se braquaient sur toi et tu ne t'en souciais pas. Il faut que je reconnaisse tes qualités et, au début, tu en débordais. Sans vanité et sans orgueil, tu ne cherchais pas à te faire accepter et aimer. Indifférente au monde et aux autres, non pas par distance hautaine, mais par manque d'intérêt.

L'image de notre rencontre ne m'a jamais quitté. À l'anniversaire de ta cousine, celle qui devait épouser mon ami Stéphane, le hasard a voulu que tu sois placée à côté de moi. Curieusement, ces deux-là ne se sont pas mariés et nous ne les avons plus jamais revus. Tu étais souriante, cordiale et moi, j'étais comblé ce soir-là, car je venais de soutenir ma thèse et de recevoir une offre de l'Université. Tout me semblait possible alors. Le monde serait une perpétuelle conquête et j'y frayais résolument mon chemin. Tu étais à côté de moi, dans toute ta splendeur, tu m'écoutais et je ne savais pas encore que tu pouvais si bien jouer la concentration, le palpitant intérêt. Je me suis laissé prendre. Pour toi, j'étais l'homme célébré, l'étoile montante, l'avenir en marche. Je te donnais une impression de solidité, d'une absence totale de vulnérabilité et, par rapport à la femme, j'étais encore une pâte inentamée, l'innocence sinon la candeur. Quelle belle combinaison! Un homme fort qui succombe aisément, naturellement devant la beauté, qui accourt comme attiré par un invisible aimant. Deux forces, deux pouvoirs qui se rencontrent et, loin de s'opposer, de s'affronter, se rejoignent, s'allient. Nous étions destinés à nous entendre.

Belle, vouée aux convoitises, entourée de regards, tu étais, néanmoins, rarement sollicitée, car tu faisais peur et on n'osait pas t'approcher. Tu avais découvert un moyen détourné d'éviter les conversations qui s'allongeaient et que tu ne pouvais pas soutenir. Tu usais abondamment d'ironie, de désinvolture. Tu changeais de sujet, de terrain de jeu. On s'essoufflait à te suivre et on pouvait facilement croire à une intelligence irrévérencieuse et virevoltante, à un esprit agile et sautillant. J'étais tombé sous le charme, fus passionnément épris de toi. Le lendemain, nous dînions au restaurant et le surlendemain, chez toi. Tu travaillais dans une agence de publicité et tu avais trouvé une ou deux formules qui eurent d'immenses résultats. J'ai oublié les détails. Il s'agissait, je crois, d'une marque de bière. Subitement, sans raison apparente, tu as quitté et l'agence et la publicité. Tu t'es inscrite à l'université pour une maîtrise en sociologie pour opter, un an plus tard, pour la biologie. Tu devais recommencer une licence... J'étais ébloui par ta vitalité, ta capacité de changer et de traverser les distances entre les univers. Alors que moi j'allais de détail en détail, dans la minutie de la recherche, l'interminable entreprise de révéler le fait dominant de toutes les pièces, la masse des dossiers et des archives, de découvrir le papier rare, le texte éclairant qui orienterait une démarche. Plus je pénétrais dans cet univers, plus je m'efforçais d'atteindre le fond, plus je m'enfermais, me mettais des chaînes, réduisais mon espace, ne parvenant plus à bouger, n'avançant qu'à pas de fourmi.

Dans les soirées chez les collègues, dans les cocktails, tu planais, c'est toi qu'on écoutait. Tu te promenais, sans scrupule, librement, dans les immenses forêts de la sociologie, de la religion, de la biologie. Une phrase par-ci, une citation par-là et, l'espace d'une heure, d'une soirée, tu donnais l'impression d'une curiosité insatiable, sinon de savoir ou d'érudition. Qu'importaient les pièges ou les impasses où tu te plaçais, ton rire désarmant venait à ta rescousse et ta beauté faisait le reste. « Quelle femme merveilleuse tu as ! » ne cessait-on de me répéter. Emporté par ton inépuisable vitalité, je te suivais et, sans le vouloir, tu me libérais de l'angoisse de parcourir un tunnel sans fin, de traverser un océan d'insignifiance. Il fallait être souverainement humble pour vivre le contraste. Tu étais ma femme, mon autre moi-même, et cela établissait l'équilibre. Malheureusement, celui-ci s'est avéré fragile, n'était qu'un leurre, une illusion car ta vitalité n'était que la face cachée de l'angoisse. En réalité, tu ne vivais pas, tu bougeais, et le mouvement perpétuel te donnait le change, te divertissait, se répercutait dans l'image que les autres te renvoyaient de toi-même, cette femme charmante et délicieuse qui bouillonnait d'énergie.

Juste avant la naissance de Deborah, les doutes ont commencé à s'insinuer dans cette union des corps et des désirs. L'hésitation a insidieusement commencé à donner des signaux tels des obstacles sur un chemin devenu un champ de courses. La durée de tes enthousiasmes devenait de plus en plus courte et, dès le départ, j'entrevoyais le rapide essoufflement. Un mur, toujours le même. L'écran qui m'aveuglait s'est levé et il n'y avait rien derrière. Je crois que tu m'en as voulu d'avoir percé ton secret et de n'en avoir rien dit. Contre quoi pouvais-je protester ? De plus en plus démunie, ta vitalité n'était plus qu'agitation et fébrilité. Pour te calmer, tu te servais de masque et, tant que tu réussissais à me mystifier, tu gardais la foi et la confiance en son efficacité.

Bien que toujours ébloui par ta beauté, le scintillement éphémère m'en dissimulait de moins en moins le vide. Au lieu de crier « Le roi est nu ! », je fermais les yeux et évitais un affrontement qui me paraissait inutile. Je consentais à vivre dans le mensonge, car, me disais-je, en te protégeant, notre vie commune, cessant d'être remplie de surprise, d'exaltation et d'attente, ne sombrerait pas dans une vacuité impossible à surmonter dès qu'elle serait dévoilée. Autrement dit, j'ai choisi le mutisme. Lâcheté, manque de courage ou, tout simplement, conscience d'un piège dont on ne peut se libérer sans fracas ?

À la fois secours et consolation, l'histoire du Canada n'était plus une curiosité, une soif de savoir et de découvrir, mais devenait tout bonnement un refuge. Pays volontairement choisi qui, par conséquent, ne pouvait me rappeler une histoire familiale, une enfance dont les séquelles me collaient imperceptiblement à la peau. Cette histoire me donnait, par rapport à moi-même, toute la liberté. Je fouillais, cheminais dans les zigzags et les dédales, les récompenses et les honneurs, me confirmaient dans mon choix. Monde délimité qui s'était transformé en abri.

J'avais abandonné la partie. De plus en plus, tu me semblais pitoyable, pathétique et ridicule. Tu m'en voulais de mon exaspération, me reprochais de me retrancher du monde, de fuir le réel, de m'enfermer dans un îlot où personne d'autre que moi n'était admis. Tu raillais mes recherches, leur inutilité, leur futilité. Un moment, j'ai cru que tu enviais ma réussite et les honneurs dont j'étais comblé. Aujourd'hui, je me rends à l'évidence : tu étais totalement indifférente à mon travail. T'es-tu jamais intéressée à moi ? Qui étais-je pour toi ? C'est alors que tu as fait l'ultime découverte et frappé le grand coup. La maternité. Tu es tombée enceinte. Tu attendais un enfant, tu allais devenir mère, créatrice de la seule création qui compte. Nous avons vécu, pendant un an, dans l'euphorie de la découverte. J'avais même négligé, que dis-je, délaissé mes dossiers. Je vivais le miracle quotidien, allais de surprise en éblouissement. Le premier sourire, le premier son, le premier regard.

Mon univers a basculé, je vivais dans une constante fascination. Je suis obligé maintenant d'admettre que Deborah n'était pas particulièrement belle. Plus tard, s'en rendant compte, elle t'en a voulu de ta beauté qui n'avait jamais cessé de me couper le souffle. L'autre soir encore, j'étais ébloui par ton éclat. Il s'y mêlait sans doute une mémoire, le souvenir toujours vivace de notre première rencontre, de notre première nuit, de tant d'autres qui ont suivi. Je reviens à Deborah. Si elle n'a jamais été vraiment belle, elle avait, cette première année, au-delà de toute beauté, l'incandescente lumière de la vie. Plus tard, à mesure qu'elle grandissait, en dépit de mon immense amour pour elle, elle ressentait la neutralité, l'indifférence de mon regard. Déçue, son regret s'était mué en colère.

L'euphorie fut de courte durée. J'acceptais de plus en plus d'engagements. Une tournée de conférences en France, un *Bigot* à terminer, le travail a vite pris le dessus et, de nouveau, nous nous sommes trouvés face à face. Le petit bébé bruyant, criard est devenu une responsabilité souvent encombrante. Nous nous acquittions convenablement de nos tâches parentales, mais la fascination des premiers mois a vite fait son temps. Cependant, pendant deux ou trois ans, la grande histoire que tu étalais était celle de Deborah. Ses dents, ses premiers balbutiements, mais surtout son appréciation, à six mois, de la musique de Bach et, à deux ans, ses premiers pas de ballerine. Les sourires ironiques qui accueillaient tes légendes de merveilles ne t'embarrassaient nullement. Enfermée dans tes inventions, tu ne t'en apercevais pas. Tu as fini par te rendre compte que je t'écoutais distraitement et tu as commencé à te lasser de tes histoires d'autant plus qu'elles détournaient l'attention de ta personne, te réduisant à un témoin quand on ne te prenait pas pour l'auteur d'extravagantes inventions.

À ton tour, tu as abandonné la partie. À cinq ans, Deborah n'était plus qu'un poids que tu supportais mal. Quelques années plus tard, sous le prétexte que j'étais un père absent, tu l'as confiée à des pensionnats. J'admets que ses cris, ses hurlements, ses pleurs constants me dérageaient et finissaient par m'énerver. Les supportant de moins en moins, je désertais la maison et mes recherches sont, de nouveau, devenues un havre. Je passais le plus clair de mes journées à l'université où, souvent, je m'attardais jusqu'à une heure avancée de la soirée. Pendant deux ou trois ans, nous avons vécu dans une relative neutralité, entre l'indifférence et les gestes d'affection qui maintenaient la mémoire d'un amour passé.

J'acceptais sans hésiter toutes les invitations à des congrès et à des colloques, très souvent d'une valeur incertaine et d'un intérêt relatif. Tu te sentais prisonnière d'un monde évanescent, insaisissable. Pour te fournir un semblant de substance, tu n'avais plus de révélations à jeter à la face du monde. Tu te sentais victime et tant que tu ne débusquais pas l'ennemi, la source de ta douleur, ta fébrilité ne faisait que s'accentuer. Tu souffrais mais tu repoussais toutes mes tentatives de te porter secours, de te venir en aide. Tu avais parfaitement raison, car elles auraient été inopérantes et, de toute façon, inefficaces. Il fallait que tu te reprennes en main, que tu retrouves une intégrité quasi physique. Tu te tournais de tous les côtés. Deborah était loin et n'avait pas suffisamment de force pour que tu la constitues en ennemie. Il ne te restait que moi. Tu as commencé par m'accuser de te fuir. Me sentant coupable, en faute, j'ai cherché d'abord à me disculper puis à porter remède au mal. Nous avons recommencé à fréquenter les théâtres, à assister à des concerts, à dîner au restaurant. Les tête-à-tête anodins, souvent silencieux, te laissaient davantage dans le désarroi, car il te fallait t'opposer à une résistance. J'évitais toute discussion qui, de toute façon, avec toi, aurait été brève et abrupte. Cela t'exaspérait, tu te sentais prise au piège. Tu ne te regardais pas en face. Heureusement, car tu aurais plongé pieds et poings liés dans le désarroi et la dépression. Le mur, c'était moi. L'unique, le seul, ton secours et ton ennemi. Tu me reprochais mon indifférence et je redoublais d'attention, car moi aussi je souffrais de solitude et il m'arrivait, de plus en plus, d'étouffer dans la poussière des archives. Les années de curiosité étaient passées et ma passion pour la recherche donnait des signes d'usure. Je m'accrochais à toi, car nous étions l'un et l'autre dans l'attente d'une issue, d'une sortie qui ne mènerait pas au précipice.

Nadine! Une étudiante qui préparait sa thèse de doctorat. Je l'avais dirigée et l'avais engagée comme assistante. Rien de plus banal. Au début, je la regardais à peine. Elle n'avait que trente ans, une enfant. En dépit de l'affadissement de notre lien émotif, mon désir pour toi était toujours aussi fort, aussi pressant et, entre toi et la recherche, il ne restait plus d'espace. Sans être coquette, ce qui m'aurait agacé, Nadine était propre, soignée, d'une élégance discrète. Son admiration pour mon travail me flattait même si j'attribuais son enthousiasme à l'effet de l'âge.

Nous restions plongés dans les documents des heures durant et Nadine ne semblait pas avoir d'obligations. Je ne lui posais pas de question même s'il nous arrivait, de temps en temps, de dîner ensemble dans les petits restaurants du quartier. Nous parlions alors des collègues, de l'université et Nadine m'interrogeait parfois sur ma vie, sur toi, sur Deborah, plus par politesse que par un véritable intérêt. Elle me fit comprendre, sans se plaindre, qu'elle vivait seule, qu'elle n'avait personne dans sa vie.

Tu as fait sa connaissance lors d'une réception et, pour elle, tu étais un idéal de beauté et d'élégance. Puis, tu nous as surpris au restaurant. Je t'avais souvent dit que je dînais avec une collègue et cela n'avait pas l'air de susciter tes doutes ni même ton intérêt. À ton entrée au restaurant, tu avais le regard mauvais, les lèvres serrées. Nous allions t'accueillir à notre table, mais tu étais une furie. « C'est ici que tu fais tes recherches ? » Tu as injustement insulté Nadine qui, la pauvre, ne savait plus où se mettre.

Quand je suis rentré, tu hurlais tes reproches. Tu affublais Nadine de qualificatifs que je n'aimerais pas répéter. Pourquoi ne l'avais-je jamais invité à la maison ? Mais on n'invitait plus personne ! Bref, tu avais finalement trouvé le mur solide sur lequel tu pouvais te lancer.Ton mari n'était qu'un menteur, un hypocrite, un dissimulateur, un coureur de jupons, un traître. J'avais beau te dire, te jurer qu'il n'y avait rien entre

Nadine et moi, rien à faire. Tu avais besoin d'un ennemi et j'étais là, à portée de la main.

Tu as construit tout un scénario. Toutes mes absences, chacun de mes voyages s'inscrivaient dans cette invraisemblable intrigue, ce complot, cette liaison dont tout le monde se gaussait et que tu étais la dernière à découvrir. Ta colère n'avait pas de bornes et tu ne cherchais surtout pas d'apaisement, car elle te soulageait. Une fois l'ennemi trouvé, fut-il inventé, tu redécouvrais dans ton corps et ton esprit, une apparente cohérence qui n'était en fait, qu'une masse, qu'une substance aveugle prête à frapper. Dans le but de battre l'ennemi, tu as reconquis une existence. J'ai vite compris que tout effort d'explication, de simple raisonnement, serait désormais inutile. À l'intérieur d'un discours apparemment rationnel, tu laissais libre cours à ton délire. Je n'avais plus de consistance réelle et, à tes yeux, j'étais devenu une façade opaque qui te permettait de te tenir debout.

Tu savais que c'était la fin, le début de la fin, mais plus tu sentais le terrain glisser sous tes pieds, plus tu t'accrochais. Tu as commencé par ériger une barrière physique entre nous, m'interdisant de te toucher. Tu évoquais ta répulsion du corps d'un homme qui sortait du lit d'une autre femme. Ton délire ne s'arrêtait pas en si bon chemin, tu prétendais que tu avais peur des maladies vénériennes que je pouvais te transmettre. C'était ta manière d'avilir une femme qui n'avait commis d'autre crime que celui d'être mon assistante.Tu as réussi à la terroriser et, en tous cas, à l'éloigner. Tu lui téléphonais pour l'insulter et tu appelais mes collègues, leur demandant si je me trouvais en compagnie de ma maîtresse.

L'étonnement a vite cédé la place aux sourires de compassion et de pitié quand on ne se réjouissait pas secrètement de mon malheur. Un malheur, une vie d'enfer. Je partais plus souvent et pour plus longtemps, ce qui t'offrait tout le loisir de m'accuser de m'évader avec ma maîtresse. Ton vocabulaire devenait de plus en plus coloré, pour ne pas dire obscène. Une fois que ta hache eut frappé, coupé tout lien avec mon assistante, tu t'es trouvée de nouveau désemparée, démunie d'armes, de prétextes et de moyens pour me faire mal afin de te maintenir en équilibre entre la folie et le vide. Tu as, de nouveau, regardé autour de toi. La victime était tout trouvée : Deborah. Jeune fille, son corps de femme, en pleine croissance et épanouissement, te mettait en question et je n'étais plus là pour te rassurer sur tes attraits. Tu ne convoitais pas de remplaçant, car les hommes ne t'ont jamais intéressée.

Je m'arrête pour te dire que nos corps ont gardé l'un pour l'autre une fidélité qui, mentalement, s'était depuis longtemps dissoute dans l'indifférence, mais que tu as brisé cette persistance de l'attrait, cette persistance du désir. Je ne résistais plus et le mur qui te servait de rempart contre le vide, s'effondrait. Deborah était la nouvelle proie, disponible. Tu l'as rappelée de l'internat, sous le prétexte de te rapprocher d'elle, et tu t'es servie d'elle pour me tourmenter, me harceler, me faire mal. Tu ne supportais pas que je puisse poursuivre tranquillement mes travaux et que personne ne prenne tes invectives au sérieux. Ce que tu appelais mon prestige était devenu le mur invisible qui te narguait. Mon indifférence t'apparaissait sans prise. Mes collègues, même ceux qui n'avaient pas d'amitié pour moi et encore moins pour mes travaux, ne cachaient pas leur respect pour la dignité avec laquelle je recevais les coups.

Quand ma fille a subitement découvert qu'elle avait un père, ce fut pour te remplacer dans la tourmente. Elle ne savait pas par où commencer, quoi me demander. L'attention, l'argent ? Cela n'a duré, heureusement pour elle, que quelques mois. À point nommé, Tim est venu la cueillir, la sauver. En dépit de tout ce que tu as pu lui dire, mon amour pour elle est demeuré total et toujours aussi vivace même si je l'éprouve dans la frustration et la souffrance. Tu as réussi à me priver de mes petits enfants, mais cela ne t'a été d'aucun secours.

Je passe sur les épisodes mesquins de notre divorce. J'ai tout laissé entre les mains de l'avocat. Tu ne le croiras peut-être pas, mais mes instructions étaient de te fournir assez d'argent pour que tu puisses mener une vie confortable, même si je devais moi-même restreindre mes dépenses.

◆

Je reprends cette lettre, car j'ai eu l'impression que je commençais à céder à la récrimination. Rien n'est plus néfaste que le ressentiment. Quand je pense à toi, je m'efforce d'évoquer les années d'amour et de bonheur. Ce sont les seules qui comptent, qui devraient compter. Je peux te le dire, Marianne. Je t'ai aimée et l'amertume que tu as pu déceler à travers ces lignes est celle d'un amour assassiné. Je sais, tu vas de nouveau brandir le nom de Nadine, emblème de ma trahison et de ma duplicité. Je t'affirme que ma relation avec elle n'a véritablement commencé qu'après que notre séparation eut été consommée, alors que tu ne te contentais plus de me demander de faire chambre à part, mais de quitter la maison, de débarrasser les lieux de ma présence.

Mon histoire avec Nadine a, elle aussi, mal tourné et je peux en parler sinon dans le détachement, du moins dans la sérénité. Je ne voudrais évoquer ton lien avec David que pour te dire que sa mort m'avait profondément peiné. Tu sais que nous nous respections même si nous ne nous croisions qu'occasionnellement. Il était professeur à McGill et son champ d'intérêt – je ne dirais pas sa spécialité, car il détestait d'être classé – était le Commonwealth.

Décidément, tu n'es attirée que par les historiens. Grâce aux circonstances de sa vie, David t'a permis de trouver finalement sinon la paix, du moins le confort intérieur, le calme. Avec lui, tu ne te cherchais plus, tu n'interrogeais plus le destin, tu ne te plaignais plus de ton sort. Mais un malheur ne vient jamais seul, comme on dit. Après la mort de sa femme dans un accident d'avion, il a été frappé d'une crise cardiaque. Un homme accablé par le sort. Tu as su répondre à son appel au secours. Tu l'a soigné, soutenu et, une fois remis, vous avez pris, dans la sérénité, la décision de vivre ensemble.

Les rares fois où je l'ai accosté dans des réunions, il m'a semblé évident qu'il dépendait de toi et, quand je faisais allusion à toi, il se contentait de dire que tu allais bien, cherchant, par respect pour toi et, sans doute, pour moi aussi, à ne pas aller plus loin, ne pas dire que tu avais changé. Peut-être que le besoin qu'il avait de ta constante présence t'avait libérée. Un homme s'appuyait sur toi pour vivre et travailler, dès lors tu n'avais plus besoin de te définir par rapport aux autres. Tu as accepté non seulement d'être sa femme, son soutien, mais aussi son assistante, te réconciliant, du coup, avec l'histoire.

Je ne sais pas si tu as réussi à parler à Deborah l'autre soir. Je sais qu'elle t'en veut encore davantage qu'à moi. Tu t'es servie d'elle, puis tu l'as oubliée, abandonnée à son sort. Peut-être que, sachant maintenant que tu es grand-mère, tu te rendras compte des joies dont tu t'es privée.

Je ne veux pas retomber dans les récriminations. Ne pourrions-nous pas inviter notre fille, son mari et nos petits enfants à venir nous voir pour jouir enfin de leur présence ? Quand j'ai appris, l'an dernier, la mort de David, j'ai eu envie de t'écrire et si je me suis abstenu, c'était de crainte que tu ne m'accuses de duplicité ou de condescendance.

Nous n'avons plus d'avenir commun et le présent nous sépare. Nous possédons cependant un passé dont nous pourrions oublier les périodes de dégradation pour retenir les heures lumineuses. J'ai aujourd'hui l'audace de te le dire, encouragé par le premier pas que tu as fait en assistant à la soirée. Si jamais les circonstances nous réservaient d'autres occasions de nous revoir, je peux t'assurer que, fidèle au passé et à notre commune condition de grands parents, je t'aborderais en toute simplicité. Je ne voudrais pas que ma lettre te paraisse dictée par la colère et le ressentiment. Je ne te fais pas de reproches, et loin de moi toute tentation de récriminer. Je voulais tout simplement vider l'abcès, te dire, une fois pour toutes, ce que j'avais sur le cœur. C'est fait et c'est terminé.

Nous sommes certes, responsables de nos actes, mais ceux-ci peuvent aussi être dictés par les circonstances et le destin. Nous avions l'un et l'autre nos manques et nos besoins. Notre rencontre nous a permis de les combler, et puis, au passage des années, nous avons changé et les événements de notre existence nous ont éloignés quand ils ne nous ont pas opposés. Maintenant notre vie est faite. Cherchons à profiter des années qui nous restent dans la sérénité. Je ne cherche pas à te donner de conseils. Je me les adresse à moi-même d'abord.

Je te répète toute ma gratitude de ta présence à mon anniversaire. Même si tu choisissais de laisser cette lettre sans réponse, ma reconnaissance n'en sera pas diminuée. Tu connais mon numéro de téléphone ainsi que celui de Deborah.

Je t'embrasse,

René

Ai-je aimé Marianne ? Ai-je jamais aimé, vraiment aimé ? Qu'est-ce l'amour ? Pendant des années, Marianne et moi avons vécu – idée ou illusion – un amour puissant, envahissant. Comment démêler la passion du désir. J'ai toujours été un homme de désir. L'ai-je assez camouflé ? Cela me sautait au visage. Il suffisait que je fus à l'étranger, de passage, pour me sentir libre, dégagé de toute attache, de toute représentation. Au début de notre relation, j'ai véritablement cru à notre amour, mais dès mes premiers déplacements, je me suis persuadé que la fidélité n'était que marginalement physique. Je demeurais loyal, n'attentais pas à la dignité de ma femme, mais, libéré de ce que je considérais comme une attache territoriale, je donnais, l'espace de quelques jours, libre cours à mon corps. Il disposait dès lors de son autonomie, choisissait son parcours.

Au retour, Marianne retrouvait l'homme qu'elle avait vu partir, reprenant le fil des jours, sans culpabilité et sans rêve. Puis, peu à peu, l'imagination que tout au long de ma vie j'ai chassée, éliminée, comme étant la négation de la recherche, s'infiltrait insidieusement en moi et l'image, le parfum, les traits, la peau d'une femme avec laquelle j'avais passé une soirée, une nuit ou tout simplement dîné, me hantaient, me collaient au corps. J'en rêvais avant de dormir et, au réveil, le visage que j'enfouissais dans une lointaine mémoire surgissait subitement de l'ombre. Mon désir atteignait alors un paroxysme jusqu'au point de douleur.

Marianne, je crois, sentait mon trouble. Elle était, cependant, trop confiante en son pouvoir pour soupçonner une quelconque trahison. Elle attribuait ma fébrilité à l'angoisse d'un déficit de désir. J'en étais le seul responsable et elle m'en voulait de mes défaillances. C'était le début de nos tiraillements. Par un rigoureux calcul, par des précautions que je qualifiais avec le sourire du scientifique, je donnais de faux numéros de téléphone aux femmes des rencontres qui étaient de passage. Il m'arrivait parfois de recevoir, à l'université, des lettres interrogatives auxquelles je ne répondais que sur un plan purement professionnel.

À Montréal, j'étais le mari et le père conventionnel, sinon exemplaire. Je ne me déchaînais pas, en voyage, uniquement pour échapper à un encerclement, à un enfermement dans des règles. J'étais ailleurs et j'étais un autre. L'historien était en repos et le professeur prenait congé. J'ai tellement bien délimité l'illicite, tout au long des années, que le poids de nos déconvenues tombait entièrement sur les épaules de Marianne. J'en suis parvenu à croire à une innocence qui me transformait en victime.

Je désirais toujours Marianne mais à distance, comme si, en m'absentant de mon corps, je réduisais le sien à une image, une ombre. J'ai fait graduellement subir à mon corps un processus d'effacement. Tant que je l'incriminais, je me sentais en règle avec moi-même, en droit de chercher ailleurs. En cela aussi, mon chemin était bien tracé entre la parcimonie et la pusillanimité. J'étais un homme de science. C'était ma caution. Pas d'approximation, nul mensonge. C'était le domaine réservé de la recherche, me disais-je. Le reste était une concession à l'autre, à celui que le désir consumait, qui rêvait en silence et qui, à la première occasion venue, s'animait, ressuscitait de ses cendres. J'étais double et j'étouffais en moi la partie cachée, masquée, ne me rendant pas compte, qu'en même temps, je vidais de sa substance l'autre partie.

Je tenais à vivre en mari et en père. Marianne n'en resta pas longtemps dupe. Elle avait le sentiment qu'un autre, en moi, lui volait son homme, la privait de son mari, mais elle se gardait d'attribuer la moindre place à une autre femme. Car, elle se croyait trop puissante pour avoir une rivale.

Cette duplicité, oblitérée quand elle n'était pas inconsciente, donnait au chercheur sans pays, engagé dans l'histoire de son pays d'adoption, un confort qui revêtait les apparences de la liberté.

J'étais absent et un double somnambule se substituait à moi et, petit à petit, occupait toute la place. À force d'échappées, de nuits sans lendemain, les femmes intensément attendues, l'espace d'une soirée, se relayaient et les images entrevues se confondaient.

Je revenais à Marianne, la guettait comme la constance. L'image de la veille s'envolait alors, ne laissant que des reflets, des fragments de souvenirs que je cherchais à rassembler, désespérant de retrouver Marianne. Elle existait à part, à l'intérieur de son îlot, et ne disposait pas de la force nécessaire pour cerner le double, le forcer à quitter les lieux. Elle s'acharnait contre moi, mais je n'étais pas là pour lui opposer une résistance et reconnaître sa tentative de récupérer son visage face au mien. J'agissais comme un aveugle, car, en perdant le sentiment de mon corps, je ne parvenais qu'à en saisir, à en enregistrer le surgissement instantané aussitôt dissout dans des rencontres épisodiques.

Dans quel recoin l'amour s'est-il réfugié ? Dans les interstices des déplacements et, à mesure que le sentiment de passage et de perte s'installait définitivement en moi, dans les vestiges des corps à corps de plus en plus acharnés.

Ce n'est qu'aujourd'hui, à distance, ayant retrouvé ma lucidité, que je constate que le ver était dans le fruit. On ne peut aimer que dans une totalité de présence dont j'étais irrémédiablement en perte, n'ayant pas eu la prévoyance ou le courage de rassembler mes morceaux. Où était

Alep et où se trouvait Sao Paulo ? Comment cheminer dans les rues de Montréal, moi qui m'étais appliqué à ensevelir dans la pénombre toute mémoire de New York ? Les villes ne s'éliminent pas, mais s'ajoutent, et ce n'est que maintenant que cette réalité me saute au visage.

J'emprunte tant de détours pour aborder l'échec de mon mariage que je risque, de nouveau, de passer à côté, d'éviter de me voir tel que je suis.

Quand Marianne me demandait de lui raconter mon enfance, elle qui ne se lassait pas de relater la sienne, je repoussais, d'un revers de main, cette partie de ma vie que je reléguais volontairement aux oubliettes. C'était si loin, prétextais-je et si peu important. Ce n'était évidemment pas vrai et, souvent, des rapports inopinés ressortaient à la surface, incandescents et douloureux.

J'ai été arraché à la chaleur, aux bruits et aux odeurs familières, autrement dit, à tout ce qui constitue l'intimité. Je n'ai pas joui de cette intimité primordiale et, au terme de ma vie, je me rends compte qu'elle est irremplaçable ou que je n'ai pas pu ou su la remplacer. Était-ce un manque de volonté ou un étouffement du désir ? Il serait futile, et sûrement trop tard, de blâmer mes parents, de leur attribuer mes manques, mes retraits, et, il faut le dire, mes lâchetés.

À force de chercher à ne pas être ostensible, à passer inaperçu, on efface les traces de l'existence et on nie la vie. Était-ce une si grande honte d'être né à Alep ? Aujourd'hui, j'y vois même un honneur et, en quelque sorte, un privilège. J'ai trop pratiqué l'Histoire pour ne pas savoir que, ce qui retient l'imagination, ce sont les crimes et les asservissements, la volonté de puissance et de domination. J'appartiens à une ville sans honte, même si elle n'a rien de spectaculaire à étaler. Pourquoi l'avoir masquée, cachée, reléguée à l'oubli? Il est vrai que mes parents m'y avaient poussé. Mais, ensuite, pourquoi avoir gommé Sao Paulo et New York? J'ai bâti toute une vie sur l'oblitération et la fuite. J'ai délibérément choisi l'Histoire croyant qu'en me réfugiant dans le passé, je contournerais le présent. Mais voici que le passé et la mémoire m'ont rattrappé.

N'ai-je vécu qu'une mémoire seconde? Un autre passé n'était-il qu'une évasion, une substitution? Celles-ci furent si envahissantes, si puissantes qu'elles ont écarté tout le reste.

Marianne a aimé un homme qui avait toutes les apparences d'être en possession de son être, alors que je cessais de fuir le mien. Tout n'était que subterfuges et prétextes pour taire mon nom, mon lieu de naissance et ma profession. Car l'histoire elle-même n'était qu'un choix de substitution, une option seconde. L'évasion s'était muée en échappatoire et celle-ci a remplacé la vie réelle, est devenue la vie tout court. Je m'identifiais à la recherche, non pas à l'histoire, mais à l'existence que je lui consacrais. J'étais devenu l'histoire du Canada et mon adhésion au pays était viscérale, une nécessité de subsistance. Il était facile de confondre ce processus avec celui d'une parfaite intégration, d'un amour inconditionnel du pays d'adoption.

Comment démêler les sentiments? Aujourd'hui, je peux dire que je n'ai pas encore découvert la nature de l'amour. Son expression est tellement contradictoire que cela laisse la porte ouverte à toutes les confusions. L'Histoire fut pour moi un retrait, un lieu béni où la recherche de l'origine, la clarté, la lucidité étaient sans menace, et le fil de l'existence était un effort sans limite et sans aboutissement.

Marianne a tout rejeté en bloc. Elle ressentait dans l'aveuglement ses propres manques, la solidité persistante du lien infini dont elle fut privée. Elle était sans ressource et sans espoir. Son ennemi était le double, le rival qui lui volait son homme, son amour, la vie qu'elle cherchait à construire. Elle a nié l'adversaire. L'Histoire, affirmait-elle tacitement, était futile et ma recherche dérisoire. Elle ne voulait plus en entendre parler. « Ta vie professionnelle, disait-elle, ne doit jamais franchir les confins de ton bureau. » Sans s'en rendre compte, elle me niait mes ultimes tentatives d'exister. Aujourd'hui, je me dis que si elle n'avait pas été elle-même aux prises avec le démon de l'absence, elle aurait pu me rassurer, me faire redécouvrir le monde avec elle, construire un nid à deux. Nous aurions pu alors éprouver, dans la fusion, la révélation de l'amour. Me réduisant à mon substitut, le confondant avec un rival, elle m'a forcé à quémander une reconnaissance. Je suis alors parti à la recherche d'une assurance sur ma présence au monde. Dans le dénuement, le besoin d'attirer un regard, un sourire et ma vanité m'ont sauvé de l'anéantissement.

Quand Nadine est venue vers moi, prononçant enfin les mots que j'attendais dans l'inconscience et l'opacité, Marianne eut, bien avant moi, le pressentiment de l'univers qui s'étalait devant moi. J'ai résisté pendant des mois, que dis-je, pendant des années, à l'idée de me fondre dans ce corps qui s'offrait. Mon désir exacerbé traçait la frontière et proclamait l'interdit. Avant, les femmes qui traversaient ma vie étaient toutes marquées, au préalable, du sceau de l'éphémère. Dans une lucidité seconde, davantage ressentie qu'exprimée, je les choisissais sous le signe du départ immédiat, de l'impossible suite. Je passais des jours, parfois des semaines, à effacer les traits de leur visage d'une mémoire que je m'efforçais de réduire. Je me consolais en les qualifiant de divertissements et quand, souvent, comme par inadvertance, des scintillements de lumière, des visions surgissaient de l'ombre, je m'appliquais à les réserver à ma recherche.

Marianne était trop fragile, trop peu sûre d'elle-même, trop jeune pour m'aider à sortir de l'impasse. Le pays, ce pouvait être elle et le lieu, la maison. Il eut fallu que j'eusse un corps et qu'il fût disponible, accessible au partage.

Ce n'est qu'en ce moment que je comprends l'acharnement de Marianne contre Nadine. Bien avant moi, elle a perçu ce qu'elle était déjà pour moi, ce que je pourrais devenir si je n'avais pas, pendant si longtemps, reculé le moment de l'échéance. Marianne imaginait parfaitement notre vie possible, mais n'avait ni la force ni le désir de s'y plonger. Elle ne manquait pas d'amour mais de la lucidité qui transforme l'amour en don et le désir en accueil. Elle avait raison. J'étais encore un pauvre enfant qui appelait sa maman. « Je ne veux pas te servir de mère », s'écriait-elle, sollicitant maman à la rescousse. Elle n'était pas assez mûre pour *s'oublier momentanément, me consoler de l'absence de ma mère et se muer en épouse. Elle demeurait l'éternelle amante, perpétuellement déçue, insatisfaite. L'invitée. Je ne comprenais pas et je manquais d'amour pour avoir l'intuition de la promesse que je démolissais par bêtise.*

Nous étions depuis longtemps morts l'un pour l'autre quand nous nous sommes quittés. Notre amour s'était dégradé, évanoui dans une mort lente. Un immense malentendu. Quel gâchis!

◆

Ma chère Nadine,

Je te remercie pour ton mot et tes vœux pour mon anniversaire. J'ai relu plusieurs fois ta lettre et je dois admettre que je n'arrive pas à comprendre. Tes phrases sont on ne peut plus succinctes, voire sibyllines. Ce qui m'a fait le plus longtemps errer dans l'analyse et l'interprétation, c'est le bout de phrase : « Je ne suis pas en mesure d'assister... » Tu ne précises pas si tu es indisposée, si tu as d'autres engagements, si tu vas être en déplacement et l'on peut multiplier les motifs, excuses ou prétextes. Je me suis ensuite engagé sur une autre route, un dédale. Tu n'es pas en mesure... Cela pourrait vouloir dire que tu n'as pas envie de me voir, que tu ne souhaites pas me parler. À moins que tu aies craint de te trouver face à face avec Marianne ou Deborah. Ou peut-être, tout simplement, tu ne désirais pas revoir d'anciens collègues, bien que Maxime ne soit plus à Montréal et tu peux penser que je n'ai pas songé à l'inviter. Si tu n'es pas en mesure..., pourquoi m'avoir écrit ? Tu aurais pu simplement ignorer l'invitation. En dépit d'une déception bien compréhensible, j'aurais compris. D'autres invités qui avaient moins de raisons que toi de s'abstenir, ont gardé le silence.

Si j'ai soumis ton mot à une analyse plus scrupuleuse, plus longue que n'importe quel document d'archives, c'est que mon interrogation est inquiète et angoissée. Dès que j'aie aperçu ton écriture sur l'enveloppe, mes mains se sont mises à trembler et j'avais du mal à la décacheter. Ma respiration s'est accélérée et j'entendais les palpitations dans ma poitrine. Cela fait bien longtemps que je n'ai ressenti une semblable émotion. Je me suis rendu compte que la blessure est loin d'être cicatrisée, qu'elle est béante, qu'elle saigne.

Je sais que tu détestes ce que tu appelais mes plaintes et je ne veux pas continuer sur ce ton. Tu n'as jamais reconnu ma douleur, car tu n'as peut-être jamais cru véritablement à mon amour. Tu m'as condamné au refoulement, puis au mutisme, et tu m'en as voulu ensuite. Je n'ai aucune intention de m'excuser ou de me justifier. Je cherchais à partager avec toi un récit, à rendre compte d'un bouleversement. Tu repoussais systématiquement mes tentatives. Tu ne voulais jamais m'écouter et tu m'as réduit au silence. Même après ton départ, j'ai tu mes interrogations et ma peine. Habitude ? Besoin de confort ? Refoulement plutôt. Ton mot a fait tout refluer, remonter à la surface.

Tu m'as reproché de ne pas t'avoir soutenue, de n'avoir pas pris ton parti quand Marianne s'était laissée aller au délire. Peut-être n'avais-je pas été assez ferme. N'est-on pas toujours impuissant face au délire ? Aujourd'hui, je perçois une autre raison que je ne discernais pas claire- ment à l'époque, car la lucidité nous rattrape souvent quand il est trop tard et qu'elle devient inutile. Pour reprendre tes mots, je n'étais pas en mesure de combler les manques de Marianne, de satisfaire ses besoins émotifs. Parce que je ne les connaissais pas d'abord et surtout parce que je ne voulais pas les connaître. Et même si je les avais analysés, cela m'aurait été difficile d'engager ma vie pour y porter remède. Cela n'aurait sans doute servi à rien de toute façon, mais c'est trop facile à dire après coup sans avoir rien tenté. Était-ce par lâcheté ou par incapacité de voir l'autre, fut-il le plus proche de moi ? C'était sûrement tout cela, mais aussi une recherche pour fuir devant les pro- blèmes que je qualifiais trop rapidement et trop légèrement d'insolubles. Je prenais alors bien commodément refuge dans d'honorables appa- rences qui, en plus, me valaient des réactions flatteuses.

Tu m'as reproché d'avoir vécu dans ton inti- mité, pendant de longues années, sans vouloir jamais le reconnaître. Je vais me répéter même si tu me taxes de coquetterie, comme tu le faisais d'habitude. Tu étais belle, Nadine et tu étais jeune, bien jeune. À la vue de tes bras nus, de tes cuisses, de tes jambes, j'avais immanquablement un émoi physique, un désir sexuel que je repoussais non pas par sentiment de honte, mais à cause d'une trop grande conscience et crainte du ridicule.

Je peux bien te l'avouer : face à toi, je me sen- tais bien démuni. Comment une femme si belle et si jeune pouvait-elle s'intéresser à un vieux bougre comme moi, ni particulièrement beau ni même charmant, alors que des hommes de ton âge affluaient autour de toi, te couvraient de compliments, ne faisaient pas mystère de leur convoitise ? Si je me tenais à distance, ce n'était pas par pusillanimité, encore moins par aveuglement, mais bien plutôt par souci d'autoprotection. Je n'allais pas, me disais-je, me lancer dans une folie ! Je m'interdisais même d'y penser. Tu étais mon assistante, par conséquent intouchable, comme si j'avais érigé un mur entre nous, comme si tout désir relevait d'une forme d'inceste. Plus tard, quand j'ai commencé à m'expliquer, tu riais à gorge déployée, me sommant de stopper net ce que tu décrivais comme une demande oblique de compliments et d'assurance.

J'ai été très malheureux de l'agression de Marianne. Pour moi, mais surtout pour toi. Tu admirais ma lecture des textes, ma capacité quasi instinctive de discerner ce qui partage l'essentiel du fortuit, l'important du futile. Cependant, dans la vie réelle, face à l'émotion, j'étais un nain, j'agissais comme un pauvre garçon à peine sorti de l'adolescence. C'est avec toi et grâce à toi que j'ai ressenti et accepté la plénitude de l'amour, que j'ai finalement atteint l'âge adulte. Ce ne fut pas, en fin de compte, bénéfique, car, si j'ai connu les plus grandes exaltations et les bonheurs limpides, j'ai également, par la suite, plongé dans la douleur, été accablé de malheurs et d'une souffrance qui ne m'a jamais lâché et dont je ne soupçonnais même pas l'existence.

J'ai vainement, désespérément, cherché à te rejoindre après ton départ, mais tu persistais à te cloîtrer dans le mutisme. J'ai plus tard béni ton comportement, car ainsi rien n'était brisé entre nous. Une séparation forcée, un éloignement imposé, nécessaire. Nous attendions inconsciemment le moment propice et nous nous gardions l'un pour l'autre, préservions nos sentiments réciproques. Nous demeurions entiers, intacts même si nous nous cachions l'un de l'autre, sans récriminations et sans reproches.

Tu étais partie aux États-Unis, puis en Europe, et nous ne risquions donc pas de nous croiser. Quel ne fut pas mon choc de te voir au colloque de Carleton avec Maxime! De tous les hommes de la planète, de tous les jeunes gens qui tournaient autour de toi : Maxime! Un professeur médiocre, un piètre chercheur, mais rusé, ambitieux, qui a vite quitté Montréal quand il s'est aperçu que ses intrigues demeuraient sans effet. Tu as ainsi déménagé à Ottawa. Quand je t'ai innocemment posé la question sur ce que tu devenais, c'est ce malotru qui a répondu pour toi : «Nous nous retrouvons les fins de semaine, nous sommes ensemble.» Ton de lourde suffisance! J'ai eu l'impression qu'il me narguait, mais, sans doute, n'était il pas assez sensible pour aller jusque-là. Tu étais courtoise, souriante, polie comme tu sais si bien l'être avec ceux qui te sont indifférents. Blessé, meurtri, je ne voulais pas m'avouer que j'étais horriblement jaloux. Je regardais ce lourdaud et un pénible frisson parcourait mon corps à l'idée qu'il pouvait te toucher, poser sa main sur ta peau. J'avais beau me dire que c'était absurde, que tu avais la totale liberté de choisir l'homme qui te plaisait...

Comment cet intrus a-t-il pu t'attirer? C'est bien un intrus et sa place n'est pas à l'université. Il déshonore et dégrade la recherche historique.

« Sur quoi travaillez-vous ? » me demanda-t-il insolemment, comme un collègue qui s'adresse à un égal, un historien qui s'enquiert des recherches d'un confrère. Comble de prétention et affront à mon endroit, il s'instituait comme membre de la tribu, du groupe. Vainement, j'ai essayé de me composer un visage, de grimacer un sourire. Alertée, tu l'as entraîné vers le buffet et m'en as délivré. Ce triste épisode fut, heureusement, passager.

J'ai attendu d'interminables semaines, plusieurs mois, avant de t'appeler et c'est toi qui as répondu. Je ne sais plus quel prétexte j'avais inventé pour te rejoindre, un document égaré ou perdu et heureusement tu as vite compris. La crise était passée et tu as consenti à me parler. Marianne n'avait jamais cru à notre séparation et m'accusait toujours de te voir en secret. Elle m'avait forcé à quitter la maison. Tu avais l'air d'être au courant, puisque tu avais fait allusion à la solitude. « Je suis moi aussi seule », avais-tu ajouté. Je t'ai épargné toute interrogation à propos de ce Maxime. Je ne m'étais point trompé à son sujet. Cela fait vingt, trente ans qu'il sévit à l'université et il n'a commis qu'une dizaine d'articles. Pas un livre. Mais ce n'est point ce qui importe dans le lien entre un homme et une femme, et ce n'est pas de ce fantôme dont je veux parler.

Je te vois encore, Nadine, en cette journée lumineuse quand tu es apparue comme un rayon dans mon bureau. Tu portais une robe fleurie, un collier de perles et une boucle dorée dans les cheveux. Je m'enfonçais de plus en plus dans le désert aride de mes papiers et rien d'autre n'intervenait dans mon existence. Injustement repoussé par ma fille et abandonné par ma femme. Tu étais subitement la lueur. Je n'ai pas peur des mots, tu étais le soleil qui dispersait les nuages et dissipait les ombres.

« Tu peux me regarder », me disais-tu avec un sourire timide, hésitant, le regard franc et direct. Balayant tout subterfuge, tu t'étais dispensée de toute entrée en matière. Tu as dû savoir que, pendant des années, je ne rêvais secrètement que de ce moment.

« Je suis là, René », poursuivais-tu en avançant vers moi.

Mon monde s'est effondré dans un tumulte qui brouillait toute pensée. Pour la première fois de ma vie, je vivais totalement mon émotion et j'habitais finalement mon corps. Je t'ai embrassée et tu t'es écartée de moi, prenant ma tête dans tes deux mains, écrasant ta bouche sur la mienne.

« C'est l'heure, annonçais-tu. Il est temps que tu quittes le bureau. » J'étais tellement bouleversé, troublé que j'ai laissé ma voiture au garage et nous sommes partis en taxi. Nous nous serrions fort comme pour empêcher qu'un mot, un geste, ne viennent s'infiltrer dans la fusion de nos souffles. Une fois la porte fermée, tu t'es déshabillée tout en m'enlevant ma cravate et en défaisant ma ceinture.

« Regarde-moi ! »

« Tu es si belle, si belle, si belle. » Je ne trouvais pas d'autres mots.

« Tu as attendu si longtemps pour me le dire. »

Nous nous sommes aimés longtemps comme pour rattraper les années écoulées en pure perte. Nous ne pouvions plus nous quitter.

« J'espère que tu sais maintenant que je suis ici, as-tu dis en riant. Je suis toute nue et vais attendre que tu m'habilles. Tu vas m'acheter des robes, des chemisiers, des sous-vêtements et des bas. Ils seront à toi, t'appartiendront afin que tu puisses me les enlever à toute heure du jour et de la nuit. »

J'ai vécu dans la folie d'un bonheur que tu ordonnais, commandais. Mieux que moi, tu savais toutes les ressources de ma sensualité insoupçonnée. Je n'avais plus d'âge, naissais à chaque instant sous ton regard et par tes caresses. Comment ai-je pu vivre tant d'années sans toi ? Avais-je vraiment vécu ?

Une semaine plus tard, te voilà avec trois cravates. « Tu ne vas plus porter tes anciennes horreurs. Désormais c'est moi qui t'attache. »

La semaine suivante, d'autres cravates assorties à mes complets et mes chemises et, pour être vraiment tenu, enserré, une ceinture. Tu me tenais, tu ne riais qu'à moitié. J'étais ton homme et tu t'abandonnais à l'amour, à une sensualité que tu découvrais en me la révélant. Je déambulais dans le brouillard. Un collègue me demanda si la différence d'âge... L'âge, quel âge ? Nous n'avions pas d'âge. Je faisais des envieux qui me félicitaient avec des sourires entendus. « Le temps que cela dure », me prévint l'un. « Grâce à ta position », disait un autre. Position ? Tu aimais un professeur ? Quelle absurdité !

Un jour, à l'aube, après une longue nuit où nous ne pouvions nous rassasier, nous desserrer l'un de l'autre, manquant toujours de temps, tu dis : « Nous devons une fière chandelle à ta femme. » Ma femme ? Cela sonnait faux, bizarre. Ai-je jamais eu une femme avant toi ? C'était Marianne qui nous avait mis dans la tête que nous pouvions nous aimer et, en nous accusant, au lieu de semer le soupçon, elle nous a révélé notre amour. C'était donc possible, plausible, probable. Un homme mûr, vieillissant avec une jeunette, un professeur avec son assistante.

Tu sais pourquoi j'aimais t'appeler ma maîtresse? Il y a maître dans maîtresse et tu étais celle qui commandait l'amour et le désir. Dix ans de plénitude. Mieux qu'un rêve. Nous n'avions d'autre avenir que le présent. On ne me voyait jamais seul, nous étions devenus inséparables. On n'a jamais autant prononcé mon nom. René, René pense, René souhaite. Ce n'était ni une interrogation ni même un souci, mais un simple fait. Notre corps était commun et nous n'en avions pas d'autre.

Je t'écris avec une émotion aussi vive qu'au premier jour. Je t'ai dit et répété que je t'aimais. Je t'aimais. Je t'aime encore, sauf que maintenant cet amour s'inscrit dans le temps, non pas un moment passé, mais un moment fixe qui n'est plus en mouvement, qui n'avance plus. Il n'est pas mort et demeure, dans l'intemporel, aussi vivant qu'au premier instant.

Je reviens à ta phrase : « Je ne suis pas en mesure. » Je ne comprends toujours pas. Que s'est-il passé entre nous? Comment cet amour a-t-il chuté? Tu as horreur des explications, m'avais-tu rétorqué. J'avais trop l'habitude des mots, d'après toi, pour que ceux-ci aient une véritable signification. Loin de moi de penser que tu te laisses conduire par tes pulsions, que tu t'abandonnes à tes instincts. Car, toi aussi tu m'as aimé. Tu me l'as dit. Je t'ai crue et je persiste à le faire. Était-ce ton soudain désir d'avoir un enfant? Empêtré comme j'étais dans mes rapports avec Deborah, je ne pouvais pas répondre à ta volonté. De plus, j'approchais de la soixantaine et ne me voyais pas bien avec un bébé. Tu as eu alors des mots cruels : j'aurais eu peur de la concurrence. Car ton amour ne serait plus exclusif. Quelle absurdité ! J'ai eu une fille, Nadine, et je sais parfaitement que l'amour que je lui ai voué était absolu, total. En dépit de ce qui s'est passé, il l'est encore aujourd'hui. Deborah est venue à ma soirée et est partie en coup de vent. Non, ce ne pouvait pas être le motif de ton départ. D'ailleurs, tu n'as pas eu d'enfant avec ton bonhomme. Mais là je m'égare.

Aujourd'hui encore, j'ai mal, très mal. Faux consolateurs, mes collègues étaient trop contents d'évoquer, comme explication, la différence d'âge. Du fond de la douleur, je repoussais une telle absurdité. De quoi parlaient-ils ? De quelle différence ? Un matin, tu t'es levée et, sombre de colère, tu t'es écriée : « Je n'ai rien fait de ma vie. Je me suis laissée aller pendant dix ans sans me soucier de moi-même. » Tu as oublié que pendant ces dix ans, tu as bu la vie comme dans une coupe de vin. Nous avons parcouru le monde. Chaque colloque devenait le prétexte d'une exploration. Le Brésil, le Sénégal, la Norvège, la Chine... Je ne refusais aucune invitation. Ma première réaction était : cela ferait plaisir à Nadine.

Nous n'avons jamais cessé d'assouvir notre amour dans le corps et le regard, les mots et les odeurs, et ma soif de toi était toujours aussi vive. Je te le dis et ce ne me semble pas indécent. Tu n'as pas davantage réalisé de projets avec ton bonhomme. Cela fait dix ans et tu n'as rien écrit, rien publié. Pourquoi ? Tu ne t'ennuyais pas avec moi, c'était tous les jours la fête, les sorties, les dîners, les voyages, car c'était aussi une période faste pour moi. Tout semblait plus simple, plus facile, même si je travaillais doublement, car à l'autre bout, je retrouvais l'accueil, ton visage lumineux, ton regard de feu et tes lèvres avides ! Et j'avais un infini appétit. Écrire un livre était un plaisir, puisque tu l'approuvais, alors qu'avant toi, c'était la solitude, l'indifférence. Toi à mes côtés, je n'avais qu'à exprimer une idée, une hypothèse pour que toutes les révélations coulent de source, sans effort.

La veille de ton départ, nous nous sommes aimés, nous avons fêté, un jour aussi faste que les autres, puis, au retour du bureau, l'enveloppe bleue : « Je veux réfléchir, m'éloigner. Ne cherche pas à me rejoindre. » Comment as-tu pu assassiner notre amour, tuer notre bonheur ? Je ne me suis enquis de toi ni auprès de ta famille, que je connaissais à peine, ni auprès des amis, car je m'étais vite aperçu que nous n'en avions pas. Et puis, au comble du malheur et de la souffrance, j'avais honte. Je me suis alors terré dans mon éternel refuge : le travail, l'histoire du Canada. Quelle belle évasion ! L'ailleurs, ni temps ni espace. Je n'avais plus de vie. Tu avais laissé des vêtements, des objets et ils sont toujours à la même place. Je ne voulais rien toucher, comme si j'avais peur de déranger l'ordre des choses. Ils sont toujours là, tes boucles d'oreilles, tes rouges à lèvres, tes chemisiers et tes slips.

Quand un étudiant m'a signalé ta présence à Rochester, j'ai fait semblant d'être au courant. Depuis deux ans, j'attendais à chaque jour, à chaque moment une lettre, un appel, un signe. Rien. Et voici soudain qu'un inconnu ravive l'espoir, transforme l'attente indéfinie en impatience. J'ai immédiatement téléphoné à un collègue au Centre d'études canadiennes à Rochester. Bien sûr qu'il te connaissait : Nadine, la femme de... Tu as même pris le nom de ton bonhomme. Dur coup que j'ai feint de bien encaisser. J'ai replacé le combiné et me suis étendu sur le lit, en totale léthargie. À peine si je pouvais penser. Puis, l'image falote de ton bonhomme me revint. Nous l'avions reçu à dîner à la suite de sa conférence à McGill. C'était cela l'amorce ? Dans notre propre maison ? Je n'avais même plus la force de lui en vouloir, encore moins à toi. Sans doute qu'au début, tu ne voulais pas vivre avec ce type, mais il était libre, sans enfant, disponible. C'était bien commode. Je ne lui accorde pas le droit de t'aimer et je ne veux même pas imaginer que tu peux l'aimer.

Tu voulais peut-être t'éloigner, refaire ta vie, reprendre le fil d'une existence, d'une carrière, d'une vie maritale. Mais tout cela n'est rien, rien sur toute la ligne. Tu le vois bien. Valait-il la peine de tout quitter pour un si piètre résultat ? Je dis bien tout, car notre vie était tout. Dix ans sans ombre, sans dispute, sans colère. Dix ans de musique, loin de la laideur du monde et de la mesquinerie des hommes et des femmes. Et puis rien, pas même l'aumône d'une parole.

Quand j'ai appris que ton bonhomme était parti en Australie, j'ai compris qu'il t'avait laissée et que peut-être c'était toi qui avais eu la sagesse de ne pas quitter notre continent. J'allais t'écrire, mais je craignais que ce soit vain et le recommencement de l'attente, de nouveau, de la lettre et de l'appel. Et puis, que dire ? Geindre, me lamenter ? Ai-je choisi le confort par lâcheté ? Il y allait aussi de ma propre dignité, car tu n'as pas eu la moindre considération pour ma souffrance. Comment peut-on aimer, le dire, l'affirmer, le répéter tous les jours et puis, soudain, mépriser l'homme qui n'a eu d'autre tort que de croire et de répondre à l'amour ?

Je ne suis pas en colère et ne l'ai jamais été. Je cherche à comprendre. L'autre soir, on n'a épargné aucun superlatif pour louer ma perspicacité, la subtilité de mes analyses, ma profonde compréhension des événements et des mobiles des hommes. Des blagues! Moi qui ai vécu pendant dix ans une extraordinaire aventure, puis des années d'indescriptible douleur sans rien y comprendre! Mais qu'avais-je besoin de comprendre ? J'aimais et j'étais aimé.

« Je ne suis pas en mesure », dis-tu. Un moment, les ailes de l'espoir m'ont rendu de nouveau léger. Tu serais revenue, mais tu ne voulais pas m'affronter, craignant mes reproches, voire ma colère. Je n'ai aucun reproche à te faire. L'amour ne nous fait pas disparaître dans la fusion de nos corps. Au contraire, c'est dans la mesure où nous conservons l'intégrité de notre corps que nous réussissons à nous unir. Tu es restée toi-même et pourtant tu n'es pas en mesure... Peut-on revenir en arrière, faire reculer l'horloge de l'existence ? Ce serait folie que de croire que nous pourrions renouer, qu'il suffirait que nous soyons ensemble pour nous retrouver et tomber dans les bras l'un de l'autre. Aucune volonté ne peut dicter les élans du cœur et de l'âme. Tu n'es pas en mesure... Moi non plus. Je t'ai trop aimée, t'aime encore trop totalement pour me résoudre à te donner en partage un homme défait, pire, humilié.

Je sais qu'il ne s'agit pas d'âge. De toute façon, j'assume le mien comme tu dois assumer tes cinquante ans. Au lieu d'être de nouveau père, j'ai été plusieurs fois grand-père, mais ma fille m'a privé de la joie de vivre ce privilège.

Notre amour était comme un vase, à la fois transparent et foisonnant de couleur. Brisé, il demeure en morceaux. Je ne suis pas en mesure de les ramasser et toi non plus.

Je t'écris sans rancune et sans ressentiment. Nulle colère. Des regrets ? Peut-être. Et puis, non ! J'ai eu avec toi et grâce à toi dix ans de bonheur et je t'en sais gré. Je ne veux pas ravaler mon amour, notre amour, à un souvenir. Il est immobile mais il vit. Et c'est peut-être cet immobilisme qui le préserve. Je ne me retourne pas et ne me regarde pas dans un miroir. Je suis debout dans mon corps et face au tien. Nous ne nous évanouissons pas dans la mémoire et ne disparaissons pas dans la fixité des statues que nous aurions érigées de nous-mêmes. Nous demeurons immobiles. C'est la seule réponse qui nous reste face à la mort.

René

Avec Nadine, je suis né une nouvelle fois, naissance imprévue, incertaine, longue et qui, brusquement, a pris fin. Pendant des années, elle m'a apporté un soutien, un appui intellectuel incroyable. Personne ne s'en est aperçu. Voici une jeune fille, belle, courtisée, qui refuse systématiquement tous les prétendants, s'attache à un homme bien plus âgé qui, pendant des années, s'est abstenu de la toucher ! Car, sans me

l'avouer, j'avais pressenti que ce serait du feu.Je
m'en suis soigneusement éloigné. Je n'étais pas
un homme de passion, de l'oubli de soi et des
conventions sociales. J'avançais dans la vie pas à
pas, avec précaution, évitant toute voie de traverse. Un homme d'ordre. Tout était prévu, jour
après jour, y compris les colères et les éclats
intempestifs de Marianne.

J'écoutais Nadine faire un rapport d'étape sur
mes travaux, sans que je le lui demande, sans
que ce soit exigé dans ses études. Elle terminait
une maîtrise avec moi et hésitait pour son sujet
de thèse entre l'esclavage en Nouvelle-France et
les guerres iroquoises. L'écoutant parler de l'Histoire telle que je la pratiquais, je me suis mis,
malgré moi et pour la première fois, à croire à ce
que je faisais. Du même coup, elle me révélait,
implicitement, ma distance par rapport à ma
recherche. Je ne m'y étais jamais engagé intérieu
rement. Avais-je eu une vie émotive avant que je
connaisse Nadine et, surtout, avant qu'elle ne me
quitte ? Elle avait une telle foi en mes travaux, les
abordait avec tant d'enthousiasme que je commençais à les prendre moi-même au sérieux.
Après coup, je défendais la cause des Hurons,
suivais avec suspicion les premiers pas des
Britanniques. Peu à peu, l'Histoire est devenue
moins abstraite et ma recherche moins technique. Doté d'audace, n'évitant pas le risque de
me tromper, j'avançais des idées, formulais des
hypothèses et, constamment, recherchais la compagnie de Nadine, son approbation, son zèle. Je
dépendais de son regard et l'Histoire, à partir de
ses réactions, prenait un sens. Aujourd'hui, cette
révélation, dont je n'ai pris conscience qu'après

son départ, m'apparaît comme une pure folie. Mais quelle grandiose et belle aventure! J'étais enfin réconcilié avec ma propre vie.

Nadine était un catalyseur, un agent qui faisait du document l'instrument d'une quête de sens. Heureusement qu'elle ne s'en rendait pas compte. Elle m'aurait ri au visage si je lui avais confié que l'Histoire n'était pour moi qu'un pré- texte, une évasion et, finalement, un refuge et un confort. J'étais à ses yeux un véritable chercheur, un authentique penseur qui, sans souci de carrière, réfléchissait sur le passé pour expliquer le présent. Un intellectuel dans le vrai sens du terme. Ah! le noble mot. J'y croyais pourtant, je voulais y croire et cela me faisait vivre.

En provoquant un esclandre, Marianne a jeté le trouble qui a failli tout tuer, assassiner, avant sa naissance : un amour qui couvait depuis des années.

Oui, je désirais Nadine, mais de loin. J'imagi- nais un homme baignant dans l'irréel qui cares- sait son cou, posait la main sur ses épaules, son dos, la pressait contre lui. Un être sans visage. Ce fut Marianne qui jeta les dés. Cet être était vrai, elle pouvait l'entrevoir qui annonçait son entrée dans le jeu. La gêne s'était depuis long- temps installée et avec le possible est né l'interdit, l'inaccessible. Mais l'innocence première, abusive précaution, s'est dissipée. Plus de mensonge, le subterfuge était levé. Nous étions face à face, un homme et une femme, sans âge, sans statut, sans profession et, du coup, sans hantise et sans peur. Des corps en attente, des émotions brûlantes en veilleuse. J'étais encore trop fragile, trop pusilla- nime pour franchir le seuil. Je me tenais au rivage, craignant, en faisant le saut, de plonger sans retour et attendant le mouvement du vent qui balaierait mes silences. J'allais mettre, au même diapason, mon corps et mes gestes, ma vie et mon travail.

Encore tenu par une timidité qui, en fait, était un refus de décider, tiraillé par l'hésitation, ce fut Marianne qui asséna le coup de grâce à mes velléités. Forcé à quitter les lieux, je me trouvais acculé à la solitude. N'avais-je pas été seul depuis ma naissance ? Mes parents m'avaient interdit l'accès à la ville, que ce soit Alep ou Sao Paulo, j'avais dû me résoudre à inventer la mienne, Montréal. Me voici devant le miroir : un homme vieillissant qui s'est promené dans des dédales, à contre-courant, comme un somnambule. Le feu brûlait et la lumière restait toujours en veilleuse. J'attendais le déclic, la sonnerie à la porte. Dénudé, démuni, allais-je, encore une fois, détourner mon regard ?

Grâce à Nadine, je me mettais à croire à ma recherche. Les rares lecteurs sérieux de mes textes y décelaient, dès ce tournant, une passion, un feu qui, loin de faire obstacle à la rigueur, dotaient mes travaux d'un sens ou, du moins, d'une direction. Nul recul possible. Loin de la rationalité, de l'objectivité qui, en vérité, n'étaient que soumission de l'âme à la technique. Je n'étais plus le mécanicien des idées, l'ingénieur des mouvements des hommes dans le temps. Face aux contradictions insolubles, aux complexités sans aboutissements, l'Histoire pouvait s'ouvrir sur l'enfer des agissements, des cendres des refoulements, et surtout sur les silences voulus, les reculs et l'immobilisme. Bref, je regardais finalement mon visage.

Changeant d'orientation, je ne cherchais plus à débusquer les secrets de chroniques anciennes mal lues, ignorées ou négligées. Au-delà de l'assurance inébranlable des faits, j'étais en quête des ambiguïtés des comportements, des décisions contradictoires. Rien n'était dorénavant tranché, coupé au couteau. Historien, je ne figeais plus le passé dans les faits et les régistres décrépits, mais poursuivais la marche d'un mouvement incertain dont la direction m'échappait. Mais quelle joie de suivre les méandres de la vie des Hurons ou du destin des esclaves. Des faits, oui, mais ce qui me retenait, me passionnait c'était l'au-delà, la face cachée.

Nadine participait à mes explosions de joie, mes éclats d'enthousiasme. Je parlais de l'Histoire et, malgré moi, des paroles codées disaient mon amour. Elle avait compris et, jour après jour, elle attendait la déclaration qaui allait venir. C'était à moi de décider et ce serait alors une victoire. À la suite du récit de mes dernières réflexions, il lui arrivait de s'exclamer : mais tu es un poète ! Quelques années avant, j'aurais pris un tel qualificatif pour une insulte. Dans la bouche de Nadine, c'était un hommage et, bêtement, je ne le percevais pas encore, une déclaration d'amour.

Je ne lui posais pas de questions. Je savais qu'elle n'avait pas de problème d'argent. Un oncle célibataire lui avait laissé un héritage, une petite fortune. Les garçons ? C'était un tabou et peut-être ne voulais-je pas en entendre parler. Elle faisait parfois allusion à tel ou tel copain et, plus souvent, à des copines. Je ne demandais pas de détails.

Nadine était belle et, en plus, elle éclatait de charme. Je fermais les yeux pour ne pas avouer mon désir. Je faisais tout, pourtant, pour entretenir notre lien, comme sans y croire, parlant sérieusement de ses travaux. Elle avait l'intention de poursuivre, reculant perpétuellement le moment de décider si c'était en histoire qu'elle allait persévérer. Je ne répondais pas à son appel silencieux. Elle souhaitait, de ma part, une confirmation, un engagement de l'accompagner dans son choix, quel qu'il fût. Quand ses doutes remontaient à la surface, je les écartais péremptoirement, ce qui, pour elle, équivalait à un refus, un rejet. Était-ce un aveuglement ou, simplement, une lâcheté? Depuis son départ, j'y reviens souvent, comme si j'éprouvais un plaisir à m'accabler. Je me reproche d'avoir empêché Nadine d'avancer dans sa propre voie afin de la garder à ma traîne, de la préserver pour un avenir que je pressentais, que je guettais.

Marianne avait bien compris, longtemps avant moi. Devant elle, au restaurant, ce n'était pas le vieux professeur qui conseillait une jeune étudiante, mais un homme qui faisait la cour à une femme. Quels chemins tortueux j'empruntais, comme si je ne me sentais à l'aise que dans les dédales. Aussi, je lui dois une fière chandelle! Par son intervention intempestive, elle m'indiqua le sentier qui me conduirait au grand air et surtout à l'heure de vérité. Je regimbais, persistais à cheminer dans la pénombre, récusant les évidences qu'elle m'assénait, en m'employant à en rejeter la forme. Je m'arrêtais à sa vulgarité, à l'obscénité de ses propos pour mieux en ignorer le sens. N'était-ce pas une manière de me laisser

guider par la vague ? Et puis, je décidais de partir.
Esquive ? Jamais, je n'ai pu affronter mes parents,
leur reprocher de m'avoir volé la vérité sur ma
naissance, de m'avoir imposé cette enfance de
mensonge. N'était-ce pas une manière de m'y
enfoncer plus profondément que de choisir
Montréal et l'histoire du Canada, comme si
toutes les terres que je quittais étaient brûlées,
réduites à néant ?

Marianne me rappelait à l'ordre, m'interdi-
sant le confort du mensonge et de l'esquive. Je ne
l'aimais pas, ne la désirais plus et Nadine n'était
pas une étoile filante, mais un feu, une lumière
tellement aveuglante que je ne parvenais pas à la
voir, refusais obstinément de l'affronter.

Avais-je trop pris l'habitude des femmes qui
font les premiers pas ? Ce que j'attribuais à ma
timidité n'était qu'une peur déguisée d'aller au-
devant du refus et de l'échec. Je n'avançais pas
sans l'assurance d'un consentement. Je ne me
rendais pas compte que les réticences des femmes
que j'abordais n'étaient, souvent, qu'une manière
de reculer le moment afin de s'assurer de mon
désir ou pour se faire encore davantage désirer.
Dans ces tactiques, il n'y a pas que calcul. Nous
cherchions elle et moi des mécanismes pour
dominer nos incertitudes. Plus tard, dans ses
moments de colère, Nadine me hurlait que je me
laissais embarquer par la première venue, que je
ne choisissais pas, que j'étais en réalité passif,
attendant qu'on vienne me tirer par la main, ce
qui explique qu'aucune des femmes que j'ai con-
nues n'était intéressante. Elle avait raison sauf
qu'elle ignorait les raisons plus profondes. Toutes
ces femmes n'étaient pour moi que des rencontres

de passage. J'existais dans leur désir, car j'étais privé de ma naissance et ne m'incarnais que dans le regard de l'autre. Je n'avais le choix que d'attendre et, le moment venu, de me soumettre. Pour reprendre les mots de Nadine, je n'étais pas en mesure de dire non et ce n'est que grâce à elle que j'ai réussi à le faire.

Depuis plus de trois ans, nous formions ce qu'on appelle un couple. Unis, amoureux! Et voici qu'une étudiante, Karine, plus jeune que Nadine, s'est jetée dans mes bras à l'occasion d'un rendez-vous pour discuter un sujet de thèse. À peine entrée dans mon bureau, elle ferma la porte, s'avança vers moi et s'assit sur mes genoux, s'appliquant à m'embrasser. « Je t'aime, souffla-t-elle, je t'aime, je n'en peux plus. » Je l'écartai : « Vous êtes folle », et lui ordonnai de quitter mon bureau. Je ne l'ai plus jamais revue et n'ai pas su si elle avait changé de discipline ou d'université. Curieusement, j'étais content de moi, d'avoir sans hésitation su dire non. J'avais l'habitude des névrosées, attirées par mon calme paternel, mais je ne me suis pas demandé si celle-ci en était.

Nadine avait ces femmes à l'œil et leur montrait vigoureusement la porte. Le jour où le corps de la femme s'est enfin révélé à moi, j'ai compris que mon désir se muait en naissance nouvelle et qu'une femme n'est un corps qu'en me faisant échapper au mien.

« J'ai attendu pendant des mois, des années que tu te décides, me confia Nadine. Rien. Tu étais de bois. J'ai alors su que ce n'étaient ni l'audace ni le désir qui te faisaient défaut, mais que tu étais frappé d'une incapacité quasi génétique. Cela semble ridicule après les nuits où

nous avons savouré nos corps. Je ne savais pas quelle mutilation tu avais subie. Nous nous voyions depuis des semaines, nous étions libres et tu avais abandonné tes efforts puérils pour dissimuler ton désir. Tu m'aimais, c'était aveuglant. Je me suis résignée à te provoquer quand j'ai senti que, par bêtise, tu allais tout abandonner. »

Nadine a réussi à me faire accéder à ma nature, à ma qualité d'homme.Je l'aimais d'un premier amour, de mon seul amour. Après des années de foisonnement, d'ivresse, j'avais l'impression que j'avais enfin atteint le rivage.Les mois, les années passaient et je croyais toujours vivre un rêve. Je m'y plongeais totalement. J'ai fini par regarder le soleil, sentir la neige sous mes pieds et, enfin, saisir la vie à pleines mains. Nadine était tout : le rire, l'amour mais aussi l'Histoire, le travail. Omniprésente, elle me prodiguait sans compter sa beauté, ses émotions, sa sensualité. Elle m'a tout appris et elle s'exclamait : « Je ne fais rien d'autre que d'être là. »

Cela a duré un temps et, pour moi, cela dure encore. Nadine était ma seule préoccupation, mon unique souci. Marianne était bien loin et Deborah m'avait fermé la porte au nez. Seul, je respirais l'air de Nadine, amoureuse, dévouée, attentive. Je satisfaisais tous ses besoins, me soumettais joyeusement à ses caprices. Des vacances en Floride en plein été ? Avec elle, c'était le délice. Elle me traînait dans les boîtes, les restaurants. Heureusement qu'elle se lassait vite. Je veillais alors à son repos, aménageais pour elle un cadre de repos et de paix.

Elle m'aimait, me le répétait et je la croyais. Je remplaçais le père qui ne la regardait pas, les

garçons qui ne pensaient qu'à la conduire au lit.
Je la laissais vivre à son rythme, réglais ses petits
et ses grands problèmes. Je m'apercevais, par
moments, que son amour se transformait insidieusement en gratitude, puis en exigence.
Qu'importe, puisqu'elle était toujours là.

Les premières années, elle parlait fièrement
de mes travaux, s'en attribuait une part du
mérite. Cela lui donnait l'avantage, tout en la
libérant de tout effort personnel, de bénéficier
des éloges qui m'étaient adressés. Il lui arrivait
même de glisser, à table, devant des collègues,
« nos travaux », « nos recherches ». On croyait
qu'elle me servait d'assistante et que, grâce à son
apport, mes écrits avaient acquis une couleur,
une originalité absentes dans le passé. Je ne le
niais pas. Mes travaux n'étaient-ils pas le cadeau
que je lui offrais ?

Après son départ, des collègues bien intention-
nés m'accablèrent de paroles consolatrices. J'aurais été aveugle à ses incartades. Personne ne voulait admettre mon bonheur. J'avais tout : ouvrages,
honneurs, estime. Qu'avais-je besoin, en plus, du
bonheur ? N'était-ce pas une insolence, une insulte
à tous les dépourvus, à tous les malheureux,
victimes des affres de l'envie et de la jalousie ? Les
plus féroces étaient les collègues féminines.

Un jour, prise de colère, Nadine m'accusa
d'avoir sucé sa substance, me nourrissant de sa
vie. Je l'aurais vidée. On croyait voir son guignol
œuvrer dans mon sillage. Au début de leur
relation, il m'en voulait de publier des livres,
d'enseigner, bref, d'exister. Il lui avait mis dans
la tête qu'elle devait imposer son propre nom et
ne pas vivre à la traîne d'un homme qui était en

train de tirer sa révérence. Sans me le dire, elle écrivit un article essentiellement puisé dans mes travaux et le soumit d'abord aux Annales, puis à la Revue d'histoire de l'Amérique française. On le lui renvoya, sans commentaire. On ne la prenait même pas au sérieux comme débutante. Enflammée par son compagnon qui cherchait à assouvir je ne sais quelle vengeance, sa colère se mua en ressentiment à mon endroit.

Mon bonheur s'effritait, m'était volé et je ne voyais rien. Ses sautes d'humeur se multipliaient, suivies de mutisme. Cela allait passer, me rassurais-je. Après tout, elle était jeune et c'était à moi de comprendre. Ce n'est qu'ajourd'hui que je comprends que j'avais fait mon temps. Comment l'admettre ? Elle m'avait appris à nier le temps et il n'était pas question, entre nous, d'âge ou d'années.

Elle ne s'était jamais moquée de mon âge, car cela justifiait sa nonchalance. Elle n'était pas paresseuse mais indolente, ne voyait plus la nécessité de travailler. Il suffisait que l'un des deux s'attelât à la tâche.

« Tu m'as vidée », m'accusait-elle. Elle avait perdu sa sève. N'était-elle pas injuste de me reprocher ma liberté, ma disponibilité de tout instant ? Nous étions si heureux ! Et cela a duré des mois, des années, et puis, son complice lui a mis dans la tête que je l'empêchais de conquérir son autonomie, d'être elle-même. Je l'accaparais, la réservais à mon usage. Elle avait des sursauts de colère, des humeurs d'adolescente attardée en perte d'une enfance non vécue. Cela faisait partie de son charme et je l'aimais aussi pour cela. Fallait-il analyser les motivations, les impulsions ? C'était courir le risque de tuer l'amour. Je ne la voyais pas ? Qu'avais-je besoin de contempler, de méditer une beauté qui était l'évidence ? Je lui aurais interdit tout accès à la recherche, à l'Histoire. Quelle dérision ! Avions-nous besoin du passé alors que nous mordions à la vie à pleines dents ? Sauf que moi, je poursuivais mon chemin avec conviction, dans une ampleur insoupçonnée, pour lui plaire, pour effacer l'image, le profil de l'homme vieillissant qui vivait les ultimes sursauts du désir.

J'ai encore du mal à réduire notre amour à des péripéties, à dégrader sa splendeur en petites sensations. Je m'accroche à cet amour, le seul, l'unique. Nadine a tout fondu, toutes les villes. Alep, Sao Paulo, New York et Montréal étaient devenus des incidents de surface, éclairés finalement par l'immense lumière de son visage du matin. Elle n'avait de cesse de mo mettre au monde et chacun de ses gestes, de ses regards étaient une création du monde.

J'étais si humilié qu'elle parte avec cet homme. L'Histoire m'a trop appris que les êtres naissent et meurent et que les événements, si intenses fussent-ils dans leur déroulement, n'ont qu'un temps. Je me serais peut-être résigné à l'arrêt de mort si la vie n'avait pas continué sans moi. Vie dégradée et il fallait que je résiste pour qu'elle ne devienne pas une négation de la constante plénitude qui nous avait si longtemps unis.

Oui, j'ai connu d'autres femmes ensuite, je les recherchais comme pour m'assurer d'avoir vécu, d'avoir vraiment serré Nadine dans mes bras, d'avoir éprouvé toutes les effusions, tous les débordements.

Je ne cesse de m'accrocher. Il a suffi d'un signe anodin pour que j'accoure, j'appelle. Aucun de ceux qui célébraient le monument qu'on érigeait devant eux ne soupçonnait que j'étais aussi un homme vibrant et qu'à un âge avancé, j'ai connu la jeunesse. Ceux-là qui me trouveraient pitoyable, pathétique, n'auront pas le courage d'avouer qu'ils m'envient. J'ai eu la chance d'atteindre le réel, de le saisir à pleines mains. Tout le reste, l'histoire, les distinctions, les célébrations pâlissent et semblent dérisoires.

◆

Cher Dominique Arnaud,

Vous avez bien fait de m'écrire de nouveau et de me rappeler à l'ordre. J'avais reçu votre première lettre un mois avant la soirée d'anniversaire. J'avais l'intention d'y répondre rapidement, mais l'ampleur de votre interrogation réclame non seulement du temps, mais aussi une remise en question. Peut-être qu'inconsciemment, me rendais-je compte qu'il me fallait du recul pour répondre de manière adéquate à vos questions. Vous êtes bien aimable d'attribuer mon silence à la bousculade qui aurait précédé la soirée. Sachez toutefois que mon travail se résumait à produire une liste d'invités.

Vous m'apprenez que vous avez assisté à la cérémonie, mais vous ne vous êtes pas présenté à moi, me privant de l'occasion de m'excuser de n'avoir pas réagi plus tôt à votre lettre.

Ce que vous dites de cette soirée est fort juste. Personne n'est allé au fond des choses. Le fait-on jamais dans de semblables occasions? Mais laissons cela. Je suis touché par vos mots qui vont plus loin que la simple amabilité. Cela mérite ma gratitude et mes remerciements. Je suis très flatté, voire ému, que vous ayez proposé l'essai que vous projetez d'écrire sur mes travaux aux *Annales* de Paris. Que les responsables de cette revue aient favorablement accueilli votre projet me surprend, même si ma méthode peut se rapprocher de certains tenants de cette école d'historiens. Il faut sans doute ajouter qu'un directeur de revue ne s'engage à rien quand il exprime un intérêt pour un article. Entendez bien que je ne doute nullement de votre talent. Cependant, je n'ai pas confiance dans le souci des Français pour notre histoire, fut-elle celle de la Nouvelle-France.

Votre première question est particulièrement difficile. Quelles sont, je dirais plutôt quelles seraient, les innovations que j'aurais apportées à la recherche historique. Je suis trop proche du sujet, trop impliqué pour réagir honnêtement et sans tomber dans les pièges de la vanité ou de la fausse modestie, ce qui revient au même. Vous faites précéder votre question par une affirmation. J'ai innové et vous me demandez de faire état de la nature de ces innovations. Pour ma part, je préfère utiliser le terme apport. Mon apport à la discipline peut se résumer à l'honnêteté du regard et de l'observation. Ce n'est point aussi banal qu'on pourrait le penser.

Comme la majorité des historiens à travers le monde, ceux du Canada commencent par des hypothèses qui, souvent, sont des prises de position politiques et idéologiques. On veut prouver que le Canada est le pays où l'union entre les peuples d'origine a réussi, ou bien que les Canadiens français constituent une nation qui, n'acceptant pas la défaite, a pu la surmonter avant de la contrer. Mes recherches ne conduisent pas à des conclusions aussi tranchées. Les directions prises et les chemins suivis ne sont pas toujours clairs. Que de contradictions! Que d'ambiguïtés! Mon apport fut justement dans ma volonté d'éviter les conclusions hâtives et simplistes. Il est arrivé que des collègues aient fait un usage abusif de mes travaux et de mes recherches. On les a loués, honorés, même si, le plus souvent, ils n'ont même pas eu la courtoisie de signaler leurs sources et de faire état de leurs emprunts.

J'en arrive maintenant à votre deuxième question : le lien entre la subjectivité et la recherche, la vie personnelle et la poursuite du travail. Dans mon cas, c'est on ne peut plus évident. Je ne suis pas né dans ce pays et ne suis pas originaire de France non plus. Oriental, jeté par les circonstances familiales sur le vaste continent d'Amérique, j'ai choisi le Canada. Mon pays et mon appartenance sont d'autant plus forts que je les ai librement choisis. Cependant, n'étant ni un autochtone ni un natif, je dispose, dans le regard et l'étude, d'une marge et d'une distance. Je ne veux rien prouver. J'observe et constate qu'un peuple s'est constitué sur un territoire donné. Cela peut paraître mince, mais pour le véritable historien, c'est énorme. Ainsi, vous le voyez, malgré les apparences, la subjectivité joue un rôle principal dans ma démarche.

Les circonstances de ma vie ont gouverné les motivations les plus profondes de ma recherche. Peut-être bien que ma méthode, qui m'éloigne de toute prise de position politique, est dictée par la diversité de mes origines, de mes attaches et de mes séjours dans plusieurs pays. Je suis certes canadien par volonté et affirmation, mais il suffirait de gratter un peu la surface pour s'apercevoir que je n'appartiens à nulle terre, à aucun espace. L'Histoire me place et me situe dans le temps. Sentant instinctivement la menace que constitue un tel parti pris, je me penche au contraire sur le document, l'archive, autrement dit, sur l'espace. Un détour? Certainement pas, mais plutôt un choix de contrepartie. Qu'on ne l'ait pas reconnu ni même perçu m'importe peu. Ce qui reste et ressort, c'est le résultat concret et mes livres sont assez nombreux pour l'attester.

J'ai eu des difficultés et, pourquoi ne pas le dire, des malheurs dans ma vie conjugale et dans mes rapports avec les femmes. J'ai cherché alors refuge dans l'histoire. Non pas l'oubli, car, paradoxalement, l'histoire est le rappel de la persistance du temps et l'absence peut être le contraire de l'oubli. De toute façon, c'est vrai en ce qui me concerne. Il serait toutefois prétentieux de chercher à tout prix des liens entre l'Histoire et les détails d'une vie individuelle. J'ai bien sûr insisté sur le rôle du personnage dans l'Histoire, et mon *Vaudreuil* en donne l'illustration, mais je ne suis pas, quant à moi, un personnage historique, encore moins un chef.

Ce n'est pas dans l'histoire que s'est déroulée ma vie. L'histoire était à la fois la halte, le repos, le refuge et souvent l'évasion. J'ai vécu ma vie au jour le jour, dans la passion, l'amour et le désir. Des femmes, oui, et aussi d'un enfant, une fille. Je n'ai jamais éprouvé le besoin ou la nécessité d'en parler dans mes écrits, car, pour moi, la vie se suffit à elle-même. Puis arrivent les départs, les abandons et les oublis, et j'en ai eu ma part, mais aussi les plénitudes, les joies, le désir, le don inattendu de l'amour. J'aurais pu fouiller les recoins de la vie de mes personnages, traquer leurs rêves cachés, leurs impulsions secrètes. Quel intérêt? Ce qui importe, c'est la frénétique course au pouvoir, le plus souvent éphémère d'ailleurs quand il n'est pas illusoire.

Vous me demandez qui a exercé une influence sur moi. Un maître, un collègue, un ami? Loin de vouloir pécher par manque d'humilité, je peux vous affirmer que j'ai abordé mes travaux sans maître, sans idées préconçues et sans idéologie définie. J'ai plongé dans l'histoire avec pour seuls moyens, les miens, guidé par deux traits de caractère, défauts ou qualités selon le point de vue : une curiosité de tout ce qui était lointain, qui ne pouvait m'impliquer, me toucher, autrement dit, me faire souffrir ou susciter en moi des occasions de regrets ou de nostalgie, et, je crois, l'inquiétude. Aurais-je raté un document, mal lu un mot, erronément déchiffré une date? On a beaucoup loué ma précision. Ce que j'avance est fiable et quand j'ai des doutes, je les exprime avant qu'on ne me les assène.

Parlons justement des collègues et des soi-disant amis. Ils me guettent, m'attendent au tournant et n'ont qu'une hâte : me prendre en défaut. Influencé par l'un ou l'autre d'entre eux? Que non! Ce serait horriblement humiliant pour moi si on m'accusait d'emprunter des idées à de prétendus historiens. Mais je me laisse entraîner par la colère. Pourtant, loin de moi la prétention d'être unique. Il existe autour de moi, dans le pays, des chercheurs honnêtes et sérieux. Mais à côté de ceux-là, que de médiocrités! Cela fait plus de quarante ans que je dépouille livres et revues et je dois dire que rares furent les occasions d'une découverte ou même d'une idée nouvelle. On ronronne, répète, reprend ce que d'autres ont déjà dit.

Un historien français, dans un compte-rendu louangeur sur mon *Vaudreuil*, m'a affilié à l'école des Annales. Première nouvelle. Non que je n'aie lu les ouvrages de Bloch et de Braudel. Cependant, m'amalgamer à un groupe, à un mouvement, moi? J'ai systématiquement travaillé dans la solitude. J'ai horreur des théories toutes faites qui nous dépouillent de notre candeur quand nous abordons, dans l'innocence, un fait ou un document. Un collègue m'a dit un jour qu'il cherchait à situer l'événement, à l'évaluer. Il me semble qu'il suffirait de le décrire le plus adéquatement possible pour en saisir l'impact. Je fuis comme la peste les philosophies et les idées générales. Face à un document, je n'ai ni sentiment, ni opinion, ni état d'âme. Une fois, un prétentieux blanc-bec m'a accusé de me contenter de présenter des faits bruts. Pauvre innocent! Qu'y a-t-il d'autre dans l'histoire, dans la vie elle-même, que des faits bruts? Des amis nous quittent, d'autres nous envient. Où est la cohérence? Même après la mort on peut dire les pires insanités sur une personne. Quand il s'agit de faits historiques, n'en parlons pas. La cohérence n'existe nulle part. Il n'y a que complexité, absurdité et chaos. Quand il s'agit d'événements que nous n'avons pas vécus, on peut le constater sans que cela nous fasse souffrir.

Revenons aux *Annales*, puisque vous en êtes. J'ai consulté certains numéros de votre revue et j'avoue que je ne m'y suis pas reconnu. Certes, parmi les noms inconnus, j'ai découvert des compagnons et, parfois, des frères. De loin, je les salue et leur serre la main. Chacun de notre côté, nous avons fait notre bout de chemin et nous nous croisons. Nous nous donnons l'accolade, puis nous poursuivons notre route.

J'ai l'air de me penser unique alors que je ne suis qu'un solitaire. Il m'arrive souvent d'en souffrir et, le soir de la célébration de mon anniversaire, j'ai eu le sentiment qu'en me plaçant sur un piédestal, on m'isolait, on m'enfermait dans un enclos. Les louanges me parvenaient comme à travers un écran.

Vous me demandez si je me suis penché sur la société que j'étudiais, si j'ai tenté de situer les personnages historiques dans leur milieu. Comment faire autrement ? Mais pour cela, on n'a d'autre appui que les documents. Il faut savoir les déchiffrer – et ce n'est pas toujours facile – puis les lire et, à travers les complexités et les contradictions, en déceler le sens. Je m'y suis appliqué sans recourir au faux soutien d'une théorie et, encore moins, d'une prise de position philosophique ou politique qui nous plonge forcément dans l'actualité. Mais je crois déceler l'interrogation sous-jacente à votre question. Si je n'appartiens volontairement pas à l'école des Annales, peut-être m'y rattaché-je inconsciemment ? En effet, les voies de la recherche et de l'histoire sont multiples. Les adeptes de votre école ont suivi une direction. Et même si on peut me classer dans l'aréopage de noms illustres, la mienne m'est propre. Je n'ai pas eu de disciples et il m'arrive de le regretter. Sans doute, le hasard n'a pas voulu mettre sur mon chemin des hommes et des femmes qui auraient choisi le même itinéraire. Mais, à la réflexion, il n'y a pas que cela. Ma méthode ne se prête pas à l'imitation, car elle est éminemment personnelle et surtout pragmatique. Je n'indique d'autre modalité que le respect des documents.

Je ne sais pas si j'ai répondu à toutes vos questions, mais j'ai essayé de le faire le plus honnêtement possible.

Au-delà de tous les discours qui ont entouré et qui continuent à entourer mon travail, ce qui subsiste, ce sont mes écrits, mes livres et mes essais. À vous de les situer, de me placer dans mon temps et dans ma société, d'y déceler, en dépit de la volonté de me mettre à distance, les traces de la subjectivité et de l'autobiographie. C'est un travail d'historien, dont je vous ai indiqué les pistes, et je suis maintenant très curieux de prendre connaissance de votre analyse et peut-être même de vos trouvailles. Je suis un homme de mon temps et j'appartiens à la ville où j'ai choisi de vivre et à l'Université où j'ai dispensé mon enseignement. Je n'ai pas cherché les louanges et n'ai pas couru derrière les honneurs. J'en ai reçu, sans doute, au-delà de mes mérites. Je les accepte et les chéris, même si j'en écarte les effets de rhétorique, les exagérations et les boursouflures.

Je suis content qu'un homme comme vous – et je le dis après avoir lu les articles que vous avez bien voulu me faire parvenir – se penche sur mon travail et veuille me consacrer des pages dans une publication aussi prestigieuse que les *Annales*. Je suis naturellement à votre disposition pour tout autre renseignement. Vous pouvez m'écrire, m'appeler et, si vous en avez le temps et le désir, me rendre visite.

Merci encore. Recevez mes salutations les plus cordiales.

René Shems

L'humilité peut aussi être une forme d'orgueil, comme la fausse modestie est une expression de la vanité. J'affirme, comme je l'ai toujours fait que je ne suis ni un philosophe de l'histoire ni un théoricien, mais un lecteur, un déchiffreur, un décodeur de documents. Ce que je ne dis pas, ce que j'évite d'admettre, c'est que je ne me sens pas à la hauteur de la philosophie. Elle me dépasse et je me contente de la fonction de technicien. Est-ce un manque d'intelligence, une incapacité à la réflexion ? On a souvent loué la puissance de mes synthèses, la profondeur de mes analyses, mais dès qu'il s'agit de déceler le sens d'un événement, dans la durée et non dans le passage, je m'arrête en chemin.

Dans ses moments de colère, il arrivait à Marianne de faire montre d'une perception aiguë, d'une lucidité qui me bouleversaient. Elle soulevait un voile : « Tu as peur de tout, tu as même peur d'être un historien. »

Je blâme souvent mes parents de m'avoir dépouillé de mes villes d'origine, de mon enfance et de ma jeunesse. C'est trop facile. J'ai manqué de volonté pour me frayer un chemin et quand je l'ai fait, c'était pour m'évader. Personne, ni mon père ni ma mère, ne pouvait m'empêcher de retourner à Sao Paulo ou de m'installer, à mes conditions, à New York. L'accès à Alep m'était et m'est toujours interdit, mais j'aurais pu intégrer cette ville à mon imaginaire, j'aurais même pu la recréer en m'appliquant à explorer l'histoire d'une communauté que j'aurais déclarée mienne.

Parvenu à l'âge des bilans, je suis obligé, sommé, d'essayer de comprendre sans me faire nécessairement des reproches. Ai-je manqué de volonté? Je n'ai pas su m'armer de courage. J'avais peur des révélations qui m'auraient mis à nu, auraient exposé ma fragilité et m'auraient obligé à décider, à choisir, à prendre position.

Quand je lis des documents, je me soumets apparemment à leur vérité qui est partielle; quand elle n'est qu'apparence, mystification, je refuse de prendre position. Je défends, néanmoins, les droits de tout le monde au Canada : les Amérindiens comme les Canadiens français, les Japonais comme les Juifs. Je ne suis que le décodeur des documents : une excuse de rester à distance.

Maintenant, je peux dire que toute exploration de la philosophie de l'histoire m'aurait révélé mon retrait, mon silence, mon abstention de dire d'où je viens et qui je suis. Tout en tenant compte des circonstances de ma vie, je suis aussi celui que je choisis d'être. Il ne faudrait pas que la quête d'identité se transforme en obsession, devienne pour moi une excuse, une réponse facile à toute interrogation. Dans mon cas, la théorie aurait pu être une échappatoire. Si je me suis tenu en marge, c'est que l'Histoire me fait peur. Si j'ai choisi de m'y plonger, de consacrer ma vie à la recherche, c'était surtout par manque de courage ou de volonté, pour contourner la peur au lieu de l'affronter. N'avais-je pas tacitement accepté le mensonge, la prétention qu'un Juif d'Alep n'avait nulle part sa place du fait qu'on la lui avait nié chez lui ? Et qui est ce « on » ? Des gouvernements totalitaires ? Des fantoches ? Des circonstances historiques ? Des parents ? Rien ni personne ne m'aurait empêché de dire, de définir mon espace. J'aurais, au contraire, gagné en crédibilité comme l'historien d'un pays adopté. En nommant ma ville de naissance, en la choisissant, les portes du monde auraient été grandes ouvertes devant moi.

J'accueillais avec empressement toutes les invitations à des colloques, des conférences et j'ai passé des semaines, des mois dans des chambres d'hôtel. Je ne refusais aucun déplacement aussi fortuit, aussi exténuant fut-il. J'ai parcouru le monde. Qu'ai-je vu ? Qu'ai-je retenu ? Des aventures de passage ? Je changeais de nature dès que je montais dans l'avion. Je me transformais en adolescent frustré, affamé, vorace. « Une parenthèse », me disais-je. Je multipliais ces parenthèses et quand je visitais les monuments, les musées d'une ville, j'en parcourais la surface sans émotion, sans rien retenir et sans rien emporter. Je ne m'arrêtais qu'à des détails qui pouvaient avoir une incidence sur mes recherches. Et cela aussi n'était qu'une tentative pour doter d'un poids le fantôme qui se promenait, virevoltait sans but et sans direction.

Si j'évitais les villes, leurs rues et leurs carrefours, ce n'était pas par goût de la nature, car celle-ci m'ennuyait souverainement, étant partout la même, semblable à elle-même. Des montagnes, des fleuves, des rivages, la mer. Il me semblait futile de se déplacer pour regarder une montagne du simple fait qu'elle était plus haute que les autres. La mer ? Qu'y avait-il de plus identique qu'un mouvement de vagues à un autre mouvement de vagues ? Ce n'était que la surface de la terre et je n'allais pas m'y attarder. Il m'arrivait de revenir à une ville sans me souvenir d'y avoir été.

Quand on me parle de Paris, de l'école des Annales, je suis flatté sur le moment, puis le lendemain cela me semble anodin, j'oublie. Est-ce une frustration rentrée, une vanité insatisfaite qui se mue en orgueil ?

Je n'aime pas m'exposer, dis-je avec fierté, me donner en spectacle. C'est que peut-être, au fond de moi, gît un enfant qui se cache, qui a peur d'être découvert, surpris, débusqué.

J'aime Montréal, car la familiarité des rues, des magasins, pour ne pas parler des visages, m'évite tout effort de découverte ou de reconnaissance. C'est tellement agréable de parcourir aveuglément les rues, de saluer des employés et des vendeuses. Figures interchangeables qui n'exigent qu'un sourire convenu, mécanique.

Proclamer haut et fort que les vieilles lettres et les journaux anciens sont mon unique souci est une manière détournée de ne m'engager à rien. Personne ne peut mettre en question mon attachement et ma loyauté à ce pays. N'avais-je pas délibérément choisi d'y vivre, bien plus, d'en déchiffrer le passé ? On l'a dit et redit au cours de la soirée. Pendant des années, je recusais les demandes de prendre position dans la querelle entre Ottawa et Québec. « Je m'attachais au passé », disais-je, ce qui m'interdisait toute implication dans les débats de pouvoir. De tout temps, les hommes ont arboré des allures de conviction et de sincérité, alors qu'ils défendaient de petits intérêts, qu'ils couraient derrière un fromage. Étais-je cynique, désabusé ? « Tout simplement lucide », rétorquais-je. En réalité, je n'étais guidé que par l'indifférence.

Au regard de l'Histoire, que veulent dire la domination, l'indépendance ? Des jeux qui cachent des intérêts sordides. Cela me donnait des airs de vertu, alors que la seule liberté à laquelle j'aspirais, c'était d'être à part, tranquille. Je n'ai quitté le cocon qu'avec Deborah, mais ce fut si bref et si pénible ! Avec Nadine, j'ai abordé le rivage d'une île fleurie, foisonnante de parfums et de couleurs où nous nous terrions, seuls. Un cocon plus solide en dépit de son scintillement extérieur.

Je tombe dans une extrême sévérité envers moi-même. En m'accablant ainsi, je cherche des excuses à mes abstentions. J'ai vécu des journées et des soirées pleines, merveilleuses à Rio, à Paris, à Amsterdam, même sans présence féminine. Je les ignore, les nie afin de me plaindre. La plainte est, parfois, un extrême confort. Peut-être, si j'avais appris à prier... Je me tenais à l'écart de toute religion : celle, d'abord, de mon enfance dont je cultivais l'ignorance en jetant le blâme sur mes parents, et celle, ensuite, de mon environnement du fait qu'elle n'était pas la mienne. J'ai passé de merveilleux réveillons, mais ceux-ci ne furent que des célébrations sans autre objet pour moi que de boire, de manger, de regarder une femme et, si possible, de la caresser ensuite.

Je peux faire de longues dissertations sur l'Église catholique au Canada, sur les anglicans, les presbytériens, mais cela relèvera toujours du document et de l'archive. Mon père se moquait affectueusement de ma mère quand elle jeûnait au Yom Kippour, quand elle mangeait de la matzah à Pessah. « Des superstitions », disait-il, lui l'homme qui avait choisi l'Occident et sa science. Le monde de mes parents était désuet, était une survivance, un encombrement dont je me suis débarrassé. Que ma mère me parût émouvante dans ses rappels et mon père, un peu simple dans ses refus, je passais mon chemin. Je n'ai pas cessé de passer mon chemin. À ne m'arrêter que sur le document, j'en suis devenu un moi-même.

Je me sens si las! Je voudrais tout recommencer, tout faire autrement, explorer les sons, les musiques, les mots. Mais c'est tellement tard et je n'ai plus la force.

♦

Chère Agnès,

Sûrement que je me souviens de vous! Et je suis remué par votre lettre si enthousiaste, si remplie d'émotion. Si j'avais l'âge de ma fille ou du fils que je n'ai pas eu, j'aurais, comme on dit, sauté sur l'occasion. Je plaisante comme vous l'aurez deviné, car il s'agit sûrement de cela dans votre esprit. Vous vous adressez à moi, dites-vous, non pas comme à un chercheur ni comme à un historien, mais en tant qu'homme. Cela me flatte et, je le répète, si j'étais plus jeune, cela m'aurait fait rêver. Si je vous ai donné l'impression de ne pas vous reconnaître à la fin de la soirée, c'est que les visages multiples se succédaient dans un déroulement anarchique.

À toutes les périodes de ma vie, les amitiés, les amours faisaient des apparitions rapides pour disparaître aussitôt. Bien sûr que j'ai reconnu, en vous voyant, la jeune fille timide qui se laissait rapidement aller à son exaltation. À votre première visite à mon bureau, vous étiez l'étudiante qui cherchait son chemin. Puis, trois ans plus tard, le doctorat en main, ce fut l'historienne, la chercheuse en quête d'emploi. La modestie n'est peut-être pas ma qualité première, mais j'ai eu la sagesse de ne pas croire à tout le flot de paroles admiratives dont j'étais le destinataire.

Vous avez réussi à remuer en moi des souvenirs, des rappels d'un passé de passion et de douleur, mais il s'agit là d'une autre histoire qui ne peut en aucune manière intervenir dans nos entretiens. Vous disiez de vive voix ce que vous rappelez dans votre lettre. Vous admirez le chercheur, l'historien, l'auteur d'ouvrages... Je reçois ces paroles, les entends et les accepte avec gratitude. Mais là où je ne vous suis plus, c'est quand vous répétez, à plusieurs reprises, que c'est à l'homme que vous vous adressez. Vous faites mention de mon intégrité, de mon honnêteté, de ma bienveillance et de ma générosité. Je ne répéte pas ces mots sans une certaine gêne. Je les accepte tout en mettant la part de l'exagération sur le compte de votre âge et sur le peu de connaissances que vous avez de ma personne. Tout de même, quand vous parlez de mon élégance, de mon charme, permettez-moi de vous dire l'effet de ces mots sur moi : un éclat de rire.

Je suis certes un homme, mais un homme d'âge mûr qui atteint, dans l'existence, une étape dont vous êtes bien loin. Mais laissons cela et revenons à l'histoire et surtout à votre carrière. Vous dites que vous n'avez pas le goût de l'enseignement. Dommage! Car, si au cours des années, je n'ai pas cédé au découragement, c'est surtout à cause de ces visages nouveaux qui, année après année, ranimaient ma confiance. Nombre de mes étudiants sont devenus des collègues et j'avoue que, dans la majorité des cas, ils ne m'ont apporté que déception et, le plus souvent, indifférence. Mais, grâce aux étudiants, il y avait constamment un recommencement, un nouveau départ, un envol vers l'espoir et l'attente.

Ainsi vous n'aimez pas l'enseignement. C'est votre droit, mais je répète que c'est dommage. On ne peut et on ne doit surtout pas forcer les choix affectifs et, en dépit de ce qu'on prétend parfois, l'enseignement est une voie qui laisse libre cours à la subjectivité. Vous aimez écrire. Je le devine par votre longue lettre et surtout par le plaisir que j'ai eu à la lire. Par contre, dites-vous, la recherche vous ennuie. Vous vous y astreindriez si vous aviez l'occasion, la « chance » – pour reprendre vos mots – de travailler à côté de moi. Je voudrais tout de suite vous détromper en ce qui me concerne. Et puis, à quoi bon! Sans le vouloir, vous me flattez et ce ne serait pas intelligent de ma part d'ignorer le plaisir que cela me donne, encore moins de le repousser. Là où je vous arrête, c'est quand vous affirmez qu'on peut s'adonner à la recherche à cause de quelqu'un. C'est que celle-ci est trop importante, trop grave pour qu'on ne l'aborde pas libre de toute attache, de manière autonome. Si la recherche vous ennuie, ce ne sera ni moi ni personne qui vous la fera aimer.

Je vais vous parler comme vous le souhaitez, en homme qui se laisse aller aux aveux. Je n'aime pas la recherche et ne l'ai jamais aimée. Moi aussi, je m'ennuie à déchiffrer les vieux paraphes et encore davantage à les trouver. Seule la curiosité, qui m'a toujours guidé, me pousse à continuer, me donne la patience de poursuivre même quand c'est long et pénible. Car il y a, à l'autre bout, la joie de trouver, de cheminer sur un terrain inconnu, vierge, l'intense et inégalable plaisir de le révéler aux autres. Tôt dans la vie, j'ai pris la décision de ne pas me considérer comme un savant, encore moins comme un expert. Je suis un simple artisan qui avance pas à pas, tel un ébéniste qui décape un meuble. Je procède humblement, patiemment, en dépit de l'ennui, je ne cherche pas à sauter les étapes pour atteindre rapidement les conclusions, comme le font les chercheurs dans leur immense majorité. Ainsi, si vous n'acceptez pas l'humilité de cette démarche, je vous conseille de passer votre chemin.

Vous me dites que vous n'aimez pas particulièrement l'Histoire. Encore une fois, je vais certainement vous surprendre, vous choquer si je vous dis : moi non plus. Je n'aime pas l'Histoire. J'ai passé ma vie dans la poursuite du temps, de l'instant qui passe, qui fuit et, par crainte ou par paresse, j'ai choisi le temps arrêté, fixe. Me suis-je trompé ? Je ne crois pas. Je n'avais ni les moyens ni la force d'affronter le passage. J'ai cru que la halte serait un temps figé. Or, je n'ai trouvé qu'un lieu et, au cœur de l'Histoire, la fixité du temps est une illusion.

Comment donc traquer le temps et pour quelle raison? Ma première femme ne m'a pas révélé grand chose sur ma nature ou mon caractère. Elle cherchait à me dénigrer et débusquait tout ce qui pouvait être négatif. Ce qui me faisait mouvoir, agir, d'après elle, était une peur refoulée, inavouée de la mort. Maintenant que je m'en approche – bien que jc ne sois nullement pressé –, je crois qu'elle avait, du moins partiellement, raison.

Ma deuxième compagne, quant à elle, un jour qu'elle était fâchée, m'a lancé que je n'étais qu'un écrivain frustré. Peut-être bien qu'elle eut aussi raison. Vous me dites que la littérature est ce qui vous tient le plus à cœur, ce qui vous remue le plus profondément, et vous songez à vous lancer dans le roman historique, d'autant plus qu'il existe un grand public pour ce genre. Quant à moi, je suis convaincu que seuls les mots peuvent arrêter le temps, d'autant plus qu'ils remplacent l'espace. Ainsi, on peut parfaitement habiter le lieu de la parole. Peut-être m'en suis-je éloigné car, assez tôt, heureusement, je me suis aperçu que je n'avais pas de talent.

Comme vous voyez, on peut devenir historien à force de travail et d'acharnement. Non pas le géant qui change la vision du monde. Combien peut-on en compter? Trois, quatre? Hérodote, Gibbon, Michelet... Les autres ne sont que d'humbles ouvriers, des artisans de mon espèce. Reste la narration. La fiction, comme on dit, et le roman historique sont une contradiction dans les termes. Fiction ou réalité? Ce serait, de la part de l'écrivain, au mieux, un aveu de faiblesse, de manque d'imagination. Le monde qui nous entoure nous submerge de réel, pourquoi donc recourir au passé ? J'ai consciemment, lucidement, scrupuleusement évité tout rapport entre ma recherche et ma vie affective. Une psychanalyse superficielle révélerait facilement des motivations cachées, voire des mystifications. Qu'importe ! Tôt dans la vie, il faut savoir choisir entre l'artisanat et l'invention. Mon choix fut persistant, entêté, je ne dis pas définitif car, comme on dit, il n'y a de définitif que la mort.

J'ai, moi aussi, été tenté par le roman historique et je le suis encore. Si je vous écris si longuement, ce n'est point, par des voies détournées et tortueuses, pour tenter de vous séduire. J'ai passé l'âge, surtout quand il s'agit d'une jeune fille plus jeune que la mienne. Vous avez mis le doigt sur une faille dans mon armure. Tout au long de ma vie, je me suis barricadé contre tout ce qui échappe à l'archive, contre tout ce qui s'envole pour se recréer dans l'imaginaire. Comme si le réel pouvait se réduire au visible et à l'observable.

Je sens en vous la même hésitation que j'ai profondément ressentie et que j'ai rapidement et radicalement oblitérée sans jamais réussir à l'éliminer. Il a suffi que vous soyez là pour que tout remonte à la surface, que tout soit de nouveau remis en question. Curieusement, je suis content d'avoir suivi la voie modeste de l'artisan. Je le dis dans la sérénité, sans vanité et sans fausse modestie. On me célèbre, on fait ressortir l'originalité de mes recherches. Je le répète : il ne s'agit que d'un travail d'artisan. Si je m'étais plongé dans la poésie, je me serais davantage fourvoyé. Car, à force de labeur, on peut devenir historien, mais écrire un poème réclame plus que de la volonté, aussi acharnée fut-elle. J'ai su assez tôt que je n'avais pas de talent. Ma première femme dirait que je reculais devant le risque par paresse et par lâcheté. Comment le savoir? Avoir fait une recherche qui demeure, qui peut servir comme point de départ à d'autres, cela vaut quand même mieux que de publier des vers médiocres, vite oubliés.

Je crois que, par intuition, par votre intelligence émotive, vous avez percé mon secret, car il correspond à votre propre interrogation. Vous vous trouvez à la même croisée de chemin, sauf que, dans mon cas, c'est déjà joué. Vous ne vous contentez pas de l'humble travail du chercheur, vous avez envie de créer, d'inventer. Là encore, il peut y avoir une confusion entre créer et briller, entre la littérature et la célébrité. Bien sûr qu'il existe un marché pour le roman historique, mais, à moins d'être un Tolstoï, il ne s'agit ni d'histoire ni de littérature. Peut-être entendez-vous vous placer dans l'espace entre l'une et l'autre et exploiter les deux filons pour fabriquer un produit. Ce ne serait qu'une autre forme d'artisanat et, sur ce terrain, nous nous retrouverions.

Vous ne vous attendiez sûrement pas à cette longue lettre et je vous suis reconnaissant de m'avoir fourni l'occasion de l'écrire. Vous sollicitez un rendez-vous? Eh bien, volontiers! Appelez-moi et nous prendrons date. Vous vous rendez compte, j'espère, que je n'aurai rien à ajouter en ce qui me concerne. Mais vous voulez que je vous écoute et je le ferai avec plaisir. Vous vous serez rendu compte que mon genre de recherche n'attire nullement les disciples. Vous affirmez quand même que vous en êtes. Mettons que vous péchez par générosité. Comme, par ailleurs, la recherche vous ennuie, je ne vois pas comment nous pourrions entreprendre un travail commun, d'autant plus qu'à présent, mon travail se fait au ralenti et ne laisse point de place à une assistante. Pour la partie littéraire, je ne suis point le conseiller qu'il vous faut. Mon exigence était telle que j'ai abandonné la partie avant de commencer. Au moins, ai-je aujourd'hui la satisfaction de pouvoir affirmer que je ne suis pas un écrivain raté, n'ayant jamais prétendu être poète, romancier ni même essayiste.

Votre enthousiasme, propre à la jeunesse, est une qualité et une vertu que je n'ai jamais possédées. Il ne faudrait pas l'éparpiller, la dépenser en pure perte. Si vous avez un talent d'écrivain – et vous seriez la première à en avoir la conviction –, il vaudrait mieux ne pas le dissiper en travaux qui rapportent célébrité et argent et qui, en plus d'être éphémères, ne donnent pas la satisfaction, le plaisir d'avoir vécu, d'avoir eu la force et la chance de transformer le rêve en réel.

Si vous vous étiez trouvée sur mon chemin il y a quarante, trente années, peut-être aurais-je effectué un virage dans mon existence et que j'aurais été en mesure de vous appuyer et de vous soutenir dans votre voie. Cela exige plus que du travail, une confiance constante. L'historien que je suis chemine sur une autre voie que celle que vous envisagez. Vous n'avez donc pas besoin de moi. En fait, vous n'avez besoin de personne.

Merci de m'avoir écrit et, surtout, merci de m'avoir fourni l'occasion de vous écrire.

René Shems

Je m'aplatis, m'humilie devant cette fille, me
courbe jusqu'au sol. Je ne suis plus rien, qu'un
pauvre artisan. Un peu plus et je lui demande-
rais des excuses d'être né et d'être encore là. Je
l'aurais vite expédiée chez elle si j'avais eu trente
ans de moins. Une insignifiante qui se donne des
airs. Et moi, je me précipite comme un adolescent sur le retour. Toute cette stratégie de l'humilité, de la modestie me lève le cœur. De la
frime. Je la repousse et puis lui lance un appel. La
lettre une fois expédiée, je souris de mes mani-
gances. J'ai bien manœuvré. Elle va bientôt son-
ner à la porte, je crois entendre ses pas. À peine
aurais-je le temps de la saluer qu'elle se jettera
dans mes bras. La vie commence, me voilà
reparti. Loin de moi l'Histoire, l'université, le
mari malheureux, l'amant éconduit. Je suis un
jeune homme qui vient au monde et attend sa
fiancée. Du sucre! Du miel! Prendre au sérieux
les balivernes d'une midinette, les sottises d'une
prétentieuse! Et je t'admire et je rêve de travailler
dans ton giron! Tu avales le gros morceau et tu
réponds : « Je ne suis pas à la hauteur. » Il y en a
de plus jeunes que moi, de plus beaux, et puis
moi, je ne suis pas le maître, le grand penseur,
mais un honnête travailleur. Un peu plus et j'in-
diquerais ma médiocrité, te prendrais par la
main pour t'indiquer la voie du mépris. Je palpite
de nouveau, souffle encore, respire. Regardez
comme je suis vivant. Tu n'as qu'à faire un signe
et je me mets à tes pieds.

Est-ce le dernier, l'ultime sursaut? Je n'ai pas
l'intention d'abandonner la partie. Je suis encore
là et j'ai maintenant besoin de le crier, de le hurler pour qu'on me croie. Je ne vais plus me mas-

quer pour gagner mon droit à l'existence. Il serait temps que je cesse de longer les murs, de fuir la lumière. Dire enfin que je ne suis pas un simple déchiffreur de papiers oubliés. Que je m'emploie aussi à pénétrer le sens de l'événement. Des mots! Je proclame bêtement mon mépris pour la théorie. Quel absurde orgueil!

Agnès, ma pauvre fille, je suis encore apte à serrer une femme dans mes bras, aussi jeune fut-elle. Je suis un historien qui vit et survit au temps. Je vais enfin raconter mon histoire, mon enfant, la vraie, celle que j'ai passé ma vie à ensevelir sous les mots. Un artisan! Quelle rigolade! Sais-tu ce que je cherche? Le foyer perdu, la rue, la maison qu'on m'a volés, la ville dont on m'a privé. J'ai passé des années à explorer le mystère des Canadiens français. Car il s'agit bel et bien d'un mystère. Pourquoi se sont-ils acharnés à survivre? Qu'avaient-ils à sauver? Une langue? Une religion? Ce ne furent que des outils, des instruments. Je peux le dire aujourd'hui, car j'ai passé des années à creuser ce sol fuyant. Ces hommes et ces femmes se sont servis de la religion. Ils l'ont forgée comme armure, de plus en plus solide jusqu'à l'étouffement. Puis, ils l'ont lâchée quand elle n'était plus efficace. La langue? Il n'y a pas de magie qu'elle englobe et qu'elle sécrète. Toutes les langues se valent. On peut dire l'amour et la mort tout aussi bien en anglais. Que préservent-ils donc si jalousement? C'est le mystère que les religions accueillent et intègrent, car elles sont incapables de l'expliquer et encore moins de le contrer.

Que reste-t-il des Hurons, des Algonquins, des Inuits? Pourquoi les peuples refusent-ils de mourir quand ils ne leur reste plus rien : ni langue, ni religion, à peine une légende, une histoire qui se dégage péniblement d'une mémoire affadie de quelques vieillards, une mémoire seconde qu'on rallume telle une flamme vacillante qui refuse de s'éteindre ? Je tombe dans la théorie ? Je plonge dans la philosophie ? Que non ! Je parle de ma vie. Je me raconte. On m'a privé d'une humanité qui a persisté à se perdre dans un épais oubli. Vais-je, encore une fois, répéter que je suis un enfant d'Alep, le descendant d'une communauté juive enterrée par ses survivants. Je rejette toute religion, car je crains que celle de mes ancêtres, si jamais je l'approchais, ne me brûle d'une flamme qui s'est éteinte.

C'est cela aussi le mystère des Canadiens français qui m'a hanté toute ma vie. Il n'a ni naissance ni aboutissement. Il demeure entier, m'inonde, me fait mouvoir. C'est le mien et il n'est pas un substitut. Je ne suis pas ici par hasard. Ce n'est pas un jeu de circonstances comme on a voulu le faire croire aux naïfs. Je suis ici, car je reconnais ces visages, je me reconnais dans tout homme qui refuse de mourir, de disparaître sans laisser de nom. Je n'ai même plus à dissimuler mon propre entêtement. Oui, je n'ai pas eu le courage d'aller jusqu'au bout, de lâcher les Hurons et les Canadiens pour rejoindre les Juifs d'Alep. Et puis, je ne suis certainement pas un simple artisan qui se contente de lire les documents. C'est le mystère des peuples qui ne veulent pas mourir qui me tenaille. Qui suis-je, par-delà le territoire, la religion et la langue ? Un mystère de vie ? Me suis-je perpétuellement trompé de mots, de paroles ? Aurais-je dû écrire des poèmes, raconter des

histoires plutôt que de fouiller dans les cata-
combes des vieux grimoires ? Non. Je n'en avais ni
le talent ni le tempérament. C'est le mystère qui
m'a constamment guidé, qui m'a lancé sur cette
route. Je te répète que je peux serrer une femme
dans mes bras et épouser la vie dans son corps,
même si je sais que le mystère demeurera entier.

Avec Nadine, dans la fulgurance, j'ai cru per-
cevoir la trace du mystère, et puis, cela a vite
passé. Dans ma recherche, j'en suis aux prélimi-
naires, aux débuts, je ne finis pas de commencer.
Je n'ai pas atterri ici pour m'évader. J'ai rejoint,
dans les reflets et les profils des hommes, mon
image. Une image fragmentée qui allait être définitivement perdue. Je suis venu ici à la recherche
de moi-même. Quel chemin tortueux ! Que de
fossés ! Les routes droites et les événements limpides sont trompeurs. Je ne suis pas un artisan,
mais un plongeur de fond. J'ai pris tellement de
précautions pour dire le contraire, de crainte
qu'on ne me surprenne et que je ne me perde.

C'est cela aussi le courage : cette persistance,
cet entêtement, cet impassible refus de disparaître. Je suis le gardien d'un trésor que je n'ai pas
voulu dilapider dans des fabrications de bazar.
J'ai choisi les carrefours où les vivants se donnent
rendez-vous. Je suis là et je finis par dire mon
nom. Il est ma possession, entière, intégrale. J'ai
su le garder, le préserver et le livrer dans mes
textes. Je le transmets, le confie, à ceux qui, ani-
més par une flamme aussi ardente, sauront le tirer
de l'ombre. Ce ne sera sûrement pas Deborah,
mais, qui sait, peut-être l'un de ses enfants dont
je fus privé comme je fus privé de ma maison de
naissance.

ll y aura toujours quelqu'un, un inconnu, un visiteur inattendu qui saura débusquer les vieux papiers, comme je l'ai fait, qui retrouvera ces lettres brûlantes, incandescentes qui se rejoignent pour former un mot unique, un nom.

✦

Cher Jean-Marc,

J'ai relu ta lettre, envoyée le lendemain de la fête. Comme tu dis, celle-ci fut grandiose et je suis très content que tu veuilles la prolonger et en perpétuer le souvenir en publiant les discours, même si, franchement, je ne crois pas que ce soit utile. Tant d'hyperboles, tant d'exagérations, sonnent creux à la lecture, se transforment en pure rhétorique. On ne lit qu'un paragraphe et on abandonne. On croit entendre les applaudissements et c'est le vide. Il faudrait peut-être garder la première impression, plus vivante et surtout plus efficace. Toutefois, si tu crois qu'il existe un public suffisant pour une telle entreprise, je n'aurais, pour ma part, aucune objection. En fait, je ne vois pas pourquoi je me retiendrais de te faire l'aveu que cela me flatterait, que je savourerai la lecture de certaines phrases, gravées dans ma mémoire, et dont le rappel mental et quasi imaginaire sonnerait comme pure musique dans mes oreilles. Bref, tu as le champ libre et c'est à toi de décider.

J'en viens à ta deuxième proposition, la publication de mes œuvres complètes en quatre ou cinq tomes. Cela m'enchante et, de plus, cela scellera pour toujours notre amitié. Le jeune éditeur que tu étais, qui avait cru en mes travaux et qui, le premier, avait accepté mon projet, l'avait attendu, soigné, servi, est devenu au cours des ans un compagnon, un ami. Que d'inquiétudes, de déceptions, de colères mais, aussi, que de joies, de surprises ! Nous sommes liés pour longtemps, perpétuellement. Tu as certes publié d'autres historiens et, même si je ne fus pas toujours d'accord, te conseillant de t'abstenir d'alourdir inutilement ta liste de médiocrités, je reconnaissais ton droit de le faire et, dans ces affaires, le temps est l'ultime juge.

Tu dois sans doute te souvenir de certaines de mes lettres, par exemple quand mon *Bigot* n'a pas eu le retentissement espéré et n'a provoqué ni débats ni polémiques. J'en avais imputé la responsabilité à ton manque d'empressement à le promouvoir, à en faire la publicité. Aujourd'hui, je comprends ce qui s'est passé. Les thuriféraires du passé glorieux ne voulaient pas qu'on fasse état des points noirs, des lacunes, des trous sombres, voire des péripéties honteuses de leur histoire. Si je t'en parle, c'est pour te dire que ta suggestion d'une substantielle introduction non seulement me plaît, mais m'enthousiasme.

Pour commencer, je voudrais relire mes ouvrages, non pour les réécrire – et je sais que j'en aurais souvent la tentation –, mais pour apporter, ici et là, les corrections d'erreurs qu'on m'avait signalées ou dont je m'étais moi-même aperçu plus tard. J'en ai tenu compte dans les réimpressions, mais tu sais bien que la moitié de mes ouvrages n'ont pas traversé le mur d'une première et unique impression, alors que d'autres sont devenus des lectures quasi obligatoires et sont traduits en anglais et dans d'autres langues. Je souhaite revenir sur certains de mes travaux qui furent négligés, voire ignorés, et, sans les modifier, les présenter avec des habits plus frais, plus élégants, mais certainement pas plus voyants.

Je ne retrancherai rien même si, parfois, je souhaiterai condamner à l'oubli certaines pages. Par honnêteté et surtout pour ne pas donner, après coup, une image retouchée, améliorée de moi-même.

Travail considérable qui pourrait être ardu et je suis content que tu me proposes de l'aide. Je pourrais, en effet, grâce aux fonds de recherche de l'Université, confier une partie importante de la tâche à des assistants. Il s'agirait, dans certains cas, de dépouiller les revues où j'ai publié des articles que je n'ai pas eu ultérieurement l'occasion ou le désir d'inclure dans mes ouvrages. Il serait temps de les sortir de l'ombre.

Tu me proposes d'écrire une introduction de l'édition aussi longue que je le souhaiterai, qui pourrait même constituer tout un tome, le premier. J'y ai longtemps pensé et, d'abord, ai rejeté ce que je qualifierais de tentation. Je ne suis ni écrivain ni philosophe. Je n'ai rien à dire, à moins d'ajouter des détails techniques et chronologiques. Tu estimes, toutefois, que je pourrais être subjectif même si je devais puiser des éléments dans ma vie privée. Après une première réaction, totalement négative, ta suggestion s'est transformée en une sorte de liquide qui, imperceptiblement, s'est mis à s'infiltrer dans une boîte bien calfeutrée, bien étanche pour, finalement, la remplir au point de déborder. Un renversement total s'est fait dans mon esprit. J'ai commencé par me convaincre que j'avais d'autres choses à dire, au-delà du déchiffrement et de l'analyse des documents. J'ai fait, mentalement, le tour des historiens. Souvent, il suffirait de gratter légèrement pour découvrir des autobiographies déguisées et des demandes, à peine voilées, impudiques, de reconnaissance, d'honneurs et, pis encore, d'argent. Aussi, ma pureté serait une forme de puritanisme nuisible, néfaste qui, s'il n'était pas contrôlé et neutralisé, pourrait finir par infecter pernicieusement la recherche la plus détachée. Bref, cette intégrité hautement proclamée pourrait aussi être lâcheté et pusillanimité. Il était temps de m'en apercevoir, d'en prendre conscience et de tenter de renverser la vapeur.

Oui, j'existe : une personne, un homme avec des passions, des amours, des envies, des désirs, des frustrations, des souffrances, des joies et des douleurs. Il est temps que je sorte du placard comme disent certains. Alors quoi ? D'ici, je te vois sourire. Une des mes sorties rares et inattendues ? Non, il s'agit de bien autre chose. Un changement de cap, ni plus ni moins. Je décide finalement de parler, de faire entendre ma voix, ma propre voix.

Procédons par ordre. L'archiviste qui gît au fond de moi remonte à la surface. Il n'est point question de faire un bilan, même si on s'y attendrait, à l'occasion de la publication de mes œuvres complètes. Tout bilan est annonce d'une fin. Or, je bouillonne d'énergie, je sens une force irrépressible s'agiter en moi et chercher à briser tout contrôle. Si je ne suis pas un écrivain, je ne suis pas non plus un simple documentaliste. Pendant quarante ans, je me suis interdit de parler en mon nom propre, or le passé étalé dans mes écrits est, en fait, le mien; je ne fais pas allusion aux résultats de mes recherches, mais à leurs soubassements, ces couloirs sombres, tenus volontairement dans le noir, le secret.

Dissipons un autre malentendu. Je n'ai pas écrit et n'entends pas écrire une autobiographie.Ce serait trop simple et, paradoxalement, une manière détournée de fuir. Je ne veux pas dire que ma vie fut une suite d'évasions. J'ai vécu des passions et des amours, souffert d'abandons et de départs et souffre encore du mutisme, du silence subi, imposé, en croyant faussement l'avoir admis et accepté. La recherche était un guet-apens, un piège. Quand la douleur était trop grande, j'y trouvais refuge. Aujourd'hui, je me dis qu'il est temps de chercher à comprendre.

Au cours de la soirée d'anniversaire, des remarques pertinentes et sensibles se perdaient souvent dans la masse d'hyperboles. Un jeune historien a dit que, dans mes travaux, je cherchais des abris et que chaque personnage historique masquait un appel secret, une faille, une fracture. Je ne veux pas tomber dans une psychanalyse facile, l'ayant souvent décrié chez les autres. Je tente de cheminer, fut-ce imprudemment, dans l'exploration de ma propre vie. Qui furent mon père, ma mère? Qu'est-ce qui a dicté mon choix de Montréal comme ville, et l'histoire du Canada comme champ de ma vocation? Cela peut être aussi intéressant que la description de l'action et des motivations d'un *Vaudreuil*, d'un *Bigot*. En quoi le choix de ces personnages se relie-t-il à ma propre vie? Comment vit-on l'amour, la passion? Comment quitte-t-on les lieux sur la pointe des pieds?

Je ne suis pas un écrivain frustré qui rêve d'écrire le roman qu'il n'a pas eu l'audace ou le courage de mettre en mots. Le réel est là, plus puissant que dans n'importe quel document mort qu'on tente malhabilement, souvent en vain, de ressusciter.

J'ai été marié. Un désastre. Je ne me suis pas interrogé sur ma part de responsabilité dans cet échec. Il serait temps de le faire, non pas en revenant en arrière pour réparer, corriger ou me justifier ; je tenterais de pousser jusqu'au bout l'exploration, l'investigation, car cette histoire serait aussi palpitante qu'un document auquel j'accorderais une signification sans lui trouver un sens. Ma vie me semble intéressante non seulement parce qu'elle est mienne, mais aussi parce qu'au stade où j'en suis, je peux la regarder en face, la raconter comme une histoire, en faire le récit.

Quel sens peut avoir la paternité ? J'ai manqué et raté la mienne. Raison de plus pour l'affronter. Je sais bien que ce sera plus difficile que de me réfugier dans un bureau. Pourquoi la femme que j'ai le plus aimée dans ma vie est-elle partie ? Ce serait trop facile de me poser en victime, de me plaindre et de déplorer le comportement de l'autre. Et moi, ai-je vraiment vécu cet amour ?

On me dira que nous vivons tous notre vie comme un rêve. L'histoire est-elle autre chose ? Sauf qu'en l'occurrence, nous nous plongeons, nous nous réfugions dans le rêve des autres. Loin de moi de dénigrer le travail de toute une vie. Je me rends compte simplement qu'il ne constitue qu'une facette, qu'une dimension de ce que j'avais à dire. Ai-je ainsi manqué ma vie ? Question bête s'il en est ! Ma vie est là, devant moi. Je la poursuis. Mieux, je la recommence, j'entame une nouvelle étape, j'entre dans une autre phase. Il n'existe pas de périodes longues et de périodes courtes et, de toute façon, nous n'en serions pas les maîtres. L'étude de l'histoire nous apprend que le temps ne se mesure pas, car la durée est imprévisible et, quand elle est intérieure, elle l'est encore davantage.

Si je te livre cette réflexion brutalement, c'est qu'elle mûrit en moi depuis des années et, aujourd'hui, elle éclate.

Ainsi donc, ni bilan, ni récit autobiographique. Le professeur remonte à la surface pour ramener le jeune débutant aux exigences de tout travail : la méthode. Procédons de nouveau par élimination. Je n'entends nullement exposer une philosophie de l'histoire. Cela pullule, nous submerge et tous les soi-disant historiens qui reculent devant les règles de la recherche procèdent, paresseusement, en débitant des banalités redondantes.

Peut-on aborder une vie personnelle comme histoire ? Une longue pratique m'a appris comment établir une distance par rapport aux documents, aux événements du passé. N'est-ce pas une excellente méthode qui pourrait être appliquée à ma propre vie ? Tu vas me demander où l'auteur des œuvres complètes se situe-t-il dans une telle entreprise. Justement, mes écrits, autonomes, détachés, ne sont peut-être que le masque qui dissimule une intimité. La révéler jetterait une lumière sur la subjectivité et le travail de l'historien apparaîtrait alors comme une dimension d'une œuvre d'écrivain. Du coup, mes livres aqueraient une complexité qui, loin d'en réduire la valeur, l'accroîtrait en ajoutant au récit linéaire une substance personnelle. Je pourrais ainsi proclamer, car je le crois profondément, que l'historien que je suis n'est point un écrivain manqué, puisque à travers la sécheresse de l'archive, je cherchais à déceler la parole de l'homme et à lui donner expression. Il s'agit de la contrainte d'une règle semblable à celle du nombre de pieds dans un alexandrin et de vers dans un sonnet. Cela peut sembler hautement prétentieux mais c'est rigoureux ; je débusquerai les manques du chercheur, les pièges auxquels il a cédé et ses aveux involontaires.

Un tel acharnement n'est point une revanche. Je me regarde dans un miroir : un professeur respecté, un chercheur célébré. Et l'homme, où se cache-t-il ? Où dissimule-t-il son visage ? C'est ce visage que je vais essayer de sortir de l'ombre. M'étais-je jamais regardé en face ? Maintenant, René Shems ne va plus se cacher dans ses livres, couvrir ses traits d'un manteau de discipline. Il porte bien son nom. Shems : soleil. Un espoir, l'attente de la lumière. Et puis le soleil ne se lève-t-il pas en Orient ? Le temps est venu de redessiner ses yeux, son front, sa bouche afin qu'il retrouve son vrai sourire, son regard affranchi de la peur et du constant retrait. Les livres perdront la fausse innocence de la recherche et les sources ne seront plus figées dans les documents, n'auront plus d'abri dans les archives. En cherchant à la communiquer, à la transmettre aux autres, René retrouvera la réalité de son visage. M'a-t-on jamais regardé, vraiment regardé avec cet œil du cœur qui ne peut naître que de l'amour ? Car René fut aimé, au moins une fois, réellement aimé et lui aime, n'a cessé d'aimer sa femme, la dernière, celle qui compte, et sa fille. L'historien va le dire, en faire la déclaration solennelle. Ainsi, le temps qu'il a cherché à capter dans le silence de la mort, dans un lointain mutisme, dans le silence de l'âme va enfin se manifester et, dans le flot de son mouvement, remonter à la surface.

Je me regarde dans le miroir et j'ai envie de crier. Je suis vivant! Je ne suis pas mort! L'histoire où j'ai cherché refuge ne m'a servi d'abri que pour un temps. Je suis seul et libre. Non pas démuni, car je ne souffre plus d'abandon, ne suis plus la victime qu'on écarte d'un regard. À partir de ce jour, les yeux écarquillés, je saurai recevoir le monde, le capter et l'exprimer sans retenue, sans réticence, sans calcul.

Aujourd'hui, je vis comme j'ai vécu hier. Le temps m'appartient et l'histoire est mon propre récit, le récit de ma vie.

Comme tu vois, tu as sorti le génie, peut-être le diable, de sa boîte. Il va falloir vivre avec et, surtout, l'accompagner, l'écouter. Je me sens au début d'une vie, au commencement d'une œuvre. Une préface, oui, une introduction. Il n'y aura de fin qu'involontaire et ce n'est pas à moi de tirer la conclusion.

Je te remercie pour tes efforts de me placer à la vitrine des libraires tout au long des années. Ma gratitude envers toi n'aura jamais été aussi grande qu'aujourd'hui. Grâce à toi, je vais enfin naître. Tu es bien plus qu'un témoin et tu ne pourras pas agir en simple spectateur. Tu vas assister à l'éclosion d'une vie, tu vas entendre les premiers rires comme les premiers pleurs, te nourrir en nourrissant ces vagissements. Tu dois t'armer de patience pour finalement entendre les premiers mots afin d'imprimer la parole initiale, à la fois trace et frissonnement.

> Ton ami d'hier et d'aujourd'hui,
> René

Un monument! Une statue! On a célébré une statue. J'ai passé quarante ans à la sculpter, à la frotter. Mon œuvre! Je ne repousse le terme que pour qu'on y revienne, qu'on le réitère. Maintenant, une biographie! Moi, un sujet, vu de l'intérieur dans la franchise et l'impudeur. Où vais-je atterrir? Le moment est venu de me poser la question : pourquoi ai-je pris tant de temps et tant de soins à me construire en statue. Pour me figer en point fixe et me contempler à distance? Je vais de nouveau me complaire dans la plainte, m'écouter geindre afin qu'on vienne à ma rescousse et, en me consolant, ouvrir la porte de l'esquive. C'est ma manière de me rehausser. J'ai su garder soigneusement mon secret et ce qui me terrifie aujourd'hui, c'est qu'on se rende compte que ce secret est une mystification, qu'il ne recouvre que le néant. Belle plaisanterie! Il n'existe pas de secret. Ce qui se dresse devant vos yeux est tout ce qu'il y a à voir! Rien. J'ai l'air de m'évader, mais je n'emporte que le vide. Je suis si léger et je m'essouffle. Je fais semblant. Mon œuvre? Un édifice construit sur du vide. J'ai bien réussi, le monument se dresse et on le regarde, le célèbre. Tout en ayant l'air de ne rien demander, j'en soigne les apparences. Je suis beau, regardez-moi. Et avec cela, humble et modeste. Un personnage créé de toutes pièces, un masque. Der-

rière l'écran, le vide. Le monument élevé, on en chante les mérites et je continue à me cacher. Je fais, ici et là, des concessions à la subjectivité. Je prends des airs. En effet, oui, je me suis marié. J'ai eu une fille. Deux femmes qui sont parties, qui m'ont quitté. Pauvre victime, j'avais heureusement une sculpture à frotter, une surface à affiner. Une compensation en trompe-l'œil.

« Cesse de t'accabler afin d'attirer la sympathie et de taire toute interrogation », me dis-je. Il y eut des moments où la statue fut invisible, comme envolée. Alors que j'étais au sol, Nadine m'a redonné vie. Il n'y avait plus d'écran. Avec Deborah aussi, il y eut des moments où le monde me paraissait enfin à proximité. Moments brefs !

Ai-je délibérément cherché à mystifier tout le monde, tout le temps ? Oh ! Si vous saviez ! J'étais terrorisé par le vide. Et si Alep n'avait jamais existé et Sao Paulo n'était qu'une ombre et New York un rêve et un cauchemar ? Si vous mesuriez la terreur de ne pas être là, de n'avoir été nulle part. Je serais alors moi-même un fantôme, de la fumée, rien. Mon orgueil m'a sauvé. Mon œuvre ! Ma recherche ! « C'est modeste », protestais-je. Je ne suis qu'un artisan. Laissez-moi faire et, à la fin, un monument se dressera devant vos yeux. Je suis une statue de ma propre fabrication.

Et si le seul secret n'était que la frayeur ? Je serais passé à côté de l'énigme de crainte de la résoudre. On me demande si je connais Alep. Nullement. Ai-je envie d'y aller ? Impossible, la ville est interdite aux Juifs. Je n'ai même pas besoin de dire si j'ai envie de revoir la ville où j'ai vu le jour. Ce n'est qu'une curiosité, un document d'archive.

Il m'arrive depuis quelque temps, entre deux sommeils, de me demander si cette ville lointaine n'était pas la plus intéressante de toutes. Je repousse vite le doute. Le monument est dressé. On le célèbre et je retrouve le sommeil.

«Toute vie est une construction», affirmais-je. L'incertitude est un abysse et tout risque précipite la mort. L'histoire peut aussi n'être qu'un édifice imaginaire, une construction mentale. Mais je retombe vite sur mes pieds. Les documents, les archives. Je sais bien qu'il ne s'agit pas d'une pierre angulaire, mais d'un point de départ. Je lis ce que je veux lire et vous n'avez qu'à me contredire. Question d'opinion et c'est votre droit. Montréal fut pour moi l'Alep qui ne fut pas, qui n'a pas eu lieu. Je ne me contente pas d'en parcourir les rues, j'en scrute les fondements, je suis un sourcier et l'énigme demeure entière. Je suis allé au plus pressé et ce monument qu'on célèbre aujourd'hui est la voie facile.

Je me sers aujourd'hui de Jean-Marc pour éclairer la statue, la rendre plus visible. Des retouches, pour mettre de la couleur. Je suis désormais trop loin de l'enfant perdu, vulnérable. Il a grandi en apprenant à étouffer ses cris de détresse. Jean-Marc fera payer le visiteur. C'est son métier. Je n'ai pas d'illusion. Je vais écrire l'introduction. Un mensonge? Même pas, car il n'existe pas de contrepartie et, à mon âge, la seule vérité, c'est la fin, l'ultime départ, et je ne suis pas pressé. Et qui sait? Il y aura toujours une Agnès, peut-être même sa mère, pour venir se recueillir devant la stèle.

Qu'est-il devenu l'enfant d'Alep? Il faudrait tout recommencer et je n'ai plus le temps. C'est *trop tard. Comme vous voyez, le constructeur du monument est trop habile pour se laisser prendre. Le monument sera repeint, illuminé. Je n'ai qu'une vie et elle n'a peut-être pas été ce qu'elle aurait pu être. Il n'y en aura pas d'autre et c'est l'ultime excuse, le dernier prétexte.*

◆

Mon cher Renaud,

C'est avec une main tremblante que j'ai déca-cheté ta lettre et, en apercevant ton écriture ferme, mes battements de cœur se sont apaisés. Tu es là, bien vivant, et c'est l'essentiel. En te lisant, le choc a cédé la place à une profonde tristesse. Tu es certes là, mais avec cette envahissante cons-cience de la limite. Les jours et les heures sont comptés. Que te dire ? Ce serait une piètre consolation de te répéter que c'est le cas pour chacun de nous. À notre âge, nous savons que la course tire à sa fin, que la route est désormais derrière nous. En prendre conscience, c'est le reconnaître, l'ad-mettre même si c'est dans la réticence. Chaque jour est neuf et chaque heure un rebondissement. C'est peut-être une illusion mais point un leurre. Tu me dis dans ta lettre que chaque heure est arrachée par la lutte et je pourrai te répondre que c'est déjà cela de gagné et que c'est toi le vain-queur. Dans quel état et à quelle condition ? Je ne cherche nullement à me payer de mots, car, en prétendant te consoler, je ne ferais en réalité que me rassurer moi-même.

Quand, voici un mois, nous nous sommes croisés dans les couloirs de l'université, je ne suis pas parvenu à dissimuler combien j'étais atterré. Je dois t'avouer que je me suis vu dans ton visage. Nous sommes nés à un an près et tu ne cessais de me rappeler que tu étais mon aîné. Blague affectueuse qui ne prend son sens qu'au cœur de l'amitié. La nôtre est demeurée calfeutrée dans le mystère du non-dit. Quels mots peuvent exprimer un fait sans tomber dans l'aveu, la confession, dans cette quête de l'adéquation avec un sentiment qui demeurera toujours en deçà de la parole ?

Prisonniers, limités par les circonstances et les hasards, nous ne nous voyions qu'épisodiquement, et, pourtant, c'était chaque fois un rappel que, sans ce lien, ce fil invisible, la vie serait bien misérable, bien pauvre. Nous ne nous entendions pas toujours et, souvent, le magnifique ethnologue que tu es s'insurgeait contre la légèreté de l'historien, son aveuglement par rapport à l'instant qui passe, comme s'il en attendait l'écoulement, l'épuisement dans l'immobilité pour en constater la présence. Tu me disais en riant que tu t'efforçais de faire éclater le mouvement au cœur de la mort, alors que l'archiviste, et, par courtoisie, tu ne prononçais pas le mot d'historien, enterrait tout surgissement de l'instant dans l'immobilité.

Tu avais horreur de la mort et la voilà qui te poursuit, te pourchasse. Que pouvais-je te dire à notre dernière rencontre sauf : « Bon courage ! » La belle affaire ! Ta maigreur et ta lividité m'ont poursuivi pendant des jours et n'ont cessé de me hanter.

Tu te souviens sûrement de cette soirée où, pour marquer ta réception à la Société Royale, Luc nous a réunis au restaurant. Comme nous tous, comme moi en tous cas, tu étais davantage touché par l'assemblée des amis que par l'honneur d'appartenir à la Société Royale. Nous avions beaucoup mangé, beaucoup bu et, surtout, beaucoup ri. Nous étions en forme, ni trop jeunes pour vivre ce moment privilégié dans l'inconscience, ni trop âgés pour en ressentir le passage et la fragilité. Nous saisissions le bonheur comme un fruit mûr, odorant, ressentant l'écoulement des années sans en appréhender la fatalité de l'arrêt. La vie nous appartenait. Prétention? Orgueil? Pas pour toi, ni pour moi je crois. Une tension bienfaisante. Ni attente ni regret. Une célébration. Je revis ces heures de plénitude pour repousser l'assaut de la fin, pour exprimer ma gratitude d'avoir eu le privilège de partager tes éclats de rire. Je cherche à faire resurgir de l'ombre les visages qui nous entouraient. La moitié, plus âgés ou plus jeunes que nous, ne sont plus là. Chaque année, nous sommes plus démunis, plus seuls, nous rendant compte que rien ne vaut les visages qui nous entourent.

Je ne peux même pas me reprocher de n'avoir pas suffisamment vécu notre amitié, dont je ressens douloureusement aujourd'hui la rareté, de l'avoir souvent éprouvée dans la distance et le silence. Nous avons nos défauts et nous avons eu nos malheurs et nos chagrins. Tu étais très discret et tu gardais pour toi ta vie et tes douleurs. Je sais que tu ne t'es jamais guéri de la perte de Diane, de ta longue et interminable souffrance. Je l'ai peu et superficiellement connue. Ma femme accueillait difficilement les autres, surtout les femmes. Et moi, par paresse et, parfois, par lâcheté et pusillanimité, et aussi par besoin de paix et de silence, je me soumettais à sa volonté, m'évadant dans le travail, me réfugiant, dirais-tu, dans l'immobilité de la mort.

Ce n'est qu'après que Diane fut emportée par la maladie et que, moi-même, je fus abandonné par ma femme, puis par ma seconde compagne, que je me suis senti disponible à l'amitié. Nous nous sommes vus alors régulièrement. Pendant plusieurs mois, nous avions pris l'habitude de partager le déjeuner toutes les deux semaines. Je garde jalousement et précieusement le souvenir du plaisir de ta compagnie, bien plus que les conversations, les débats et les controverses qui, en vérité, ne servaient qu'à alimenter notre présence l'un à l'autre.

Tu t'étais absenté pendant un an et, à ton retour, nous nous sommes privés des joies de la rencontre. Négligence ou, encore une fois, paresse ? Nous étions, chacun de notre côté, pris dans des tourbillons. Ainsi va la vie, dont une partie demeure à l'ombre, ensevelie dans le non réalisé.

Si je m'étais abstenu de t'appeler, de renouer avec le passé, de reprendre nos déjeuners, c'est qu'à ma première tentative, sans doute maladroite, j'ai cru sentir ta réticence. Tu ne voulais pas de compassion, surtout si elle prenait la place de l'amitié. Comment retrouver la candeur, l'innocence, la gratuité qui en sont les conditions ? Ai-je failli en n'insistant pas, en ne réitérant pas mes tentatives ? Ou peut-être qu'au fond, ton mutisme qui était plus un retrait qu'un refus, me soulageait. Je ne voulais pas te voir diminué et constater ta présence mutilée. Tu ne voulais pas te montrer inférieur à toi-même et, moi, je voulais peut-être égoïstement, conserver de toi le souvenir de l'homme qui rit aux éclats et qui, pour prolonger le plaisir de la conversation, argumente, provoque. Tu n'as pas appris à lancer un appel, à crier au secours. Était-ce, de ma part, une volonté d'échapper à la souffrance en ignorant celle de l'autre?

Tu le sais et tu l'as souvent dit, l'amitié ne sert à rien et la compassion ne fait qu'en obscurcir l'éclat.

Ta lettre, je le répète, m'émeut au plus haut point. Je l'ai relue les larmes aux yeux. Ai-je besoin de te dire que je comprends, dans la douleur, ton absence à la soirée? Je peux même ajouter que je t'en sais gré. Je ne veux pas d'adieux. Chaque départ rétrécit notre horizon et notre seule défense est le recours à la mémoire et le secours du souvenir. Oui, en effet, c'est l'historien qui vient à la rescousse de l'homme et qui, impuissant, assiste aux passages.

Tu permettras à celui-ci de préserver nos moments de plénitude, de les revivre, car la mémoire, qui est un cimetière, peut aussi être le lieu de reprise, une tentative, fut-elle désespérée, de recommencement. Si je te dis que je t'accompagne, c'est pour exprimer mon souhait que tu sois longtemps mon associé, mon complice, dans une vie qui scintillera au-delà de l'opacité, dans ce rire tonitruant qui retentira au-delà du silence.

Ton ami de toujours,
René

Dans ses moments de colère et de lucidité, Marianne, envahie par le doute et l'incertitude, éprouvait un soulagement à me rabaisser, à exagérer mes défauts et mes manques. Dans l'un de ces instants de crise, elle s'écria : « Tu n'as pas d'amis. Tu n'as jamais eu d'amis. » Le coup porta et la blessure vive me força, en m'interrogeant, à tourner le manque en vertu et le défaut en qualité, bref, à forger des prétextes et des excuses.

« Toi non plus, tu n'as pas d'amis », répliquai-je. « Il n'est pas question de moi », hurla-t-elle. Et d'ailleurs, qu'en sais-tu ? De temps en temps, de vagues cousins, de distantes cousines l'appelaient. Elle les installait fièrement dans la loge des amis.

Je me suis entouré de collègues, d'étudiants, d'anciens étudiants. J'avais rarement un déjeuner libre et le soir, avant les hostilités, j'aimais me retrouver avec Marianne, ainsi qu'avec Deborah, avant qu'elle ne me tourne le dos. Ensuite, ce fut surtout Nadine. Où placer les amis ? Nous invitions à dîner. C'étaient souvent des obligations pour rendre des mondanités.

Jean-Marc aurait pu être l'ami, l'a sûrement été, même si je ne parviendrai jamais à définir la nature de notre lien. Mais c'est Renaud qui me met sur la piste de ce qui n'a jamais été clair dans mon esprit. De tous ceux que j'ai connus, ou occasionnellement fréquentés, il était l'un des rares auquel aucun intérêt ne me liait. Les collègues finissaient tous par devenir une source d'échange de services : invitation à un colloque, article dans une revue à propos d'un de mes livres ou d'un des leurs. Je rendais scrupuleusement la monnaie, car je savais pertinemment que c'était la condition de maintenir le lien, de poursuivre l'échange, d'entretenir ce que j'appelais légèrement, faussement, l'amitié.

Renaud n'avait rien à me demander et rien à m'offrir. Il était tellement embarrassé quand il me suggérait de participer à un débat qu'il recourait à un collègue pour me pressentir. Il ne me serait jamais venu à l'esprit de lui demander un service ou même un avis.

Était-ce la raison de nos rencontres si peu nombreuses, si espacées ? Nous manquions de temps. Le beau prétexte. Maintenant, ayant fait le tour de l'amour et de la carrière, ayant connu les bonheurs et les désastres, les satisfactions réelles ou de vanité, je peux me poser la question : ai-je volontairement manqué d'amis ? Je ne vais pas recourir à une excuse. Pour en inventer, je suis passé maître. J'avais un immense plaisir à me trouver avec Renaud. Ni discussion, ni même échange d'idées. Un plaisir simple, intense, inexplicable qui se poursuivait après que nous nous fumes quittés, dans une atmosphère où je baignais intérieurement pendant des heures, des jours, me rappelant des fragments de phrases, des mots.

Je suis heureux d'avoir connu ces moments rares et clairsemés. Je suis lucide et me dis que ce ne pouvait pas être autrement. Ce n'est pas une fausse excuse mais une consolation. En réalité, rien ne se passait. Le plaisir d'être avec un homme élu par le hasard et le mystère des coïncidences. Nadine en était jalouse, surtout quand je racontais nos déjeuners sans précaution, sans protocole. « Il est vilain », coupait-elle. Se vengeait-elle d'une rare occasion, d'une instance unique qui échappait à notre union ? Cela me bouleversait. Vilain ? Comment pouvait-on le trouver vilain ? Je ne le voyais pas vraiment, mais j'étais aux aguets, attendant son sourire, son regard.

Ai-je dilapidé cette amitié ? Renaud était le miracle qui traverse l'existence sans que l'on s'en aperçoive. L'essentiel de nos vies se résumait à des moments.

Tenaillé par les invectives de Nadine, j'en ai parlé à Renaud. Avec lui, nul faux-fuyant de pudeur. Il n'a pas réagi, embarrassé par le mystère de notre amour à Nadine et moi, s'évertuant à ne pas l'entacher par une intrusion, fut-elle une présence discrète de l'amitié. Puis, plus tard, il m'a dit en plaisantant : « Tu as reçu l'amitié de tout un peuple et tu l'as rendue au centuple. » Puis, devant mon incrédulité, ma surprise, il ajouta, comme s'il voulait parler de lui et de moi : « Un peuple, une ville ne sont pas des abstractions, à condition qu'on les aime et qu'on sache recevoir leur amitié. »